HERCULES

GERRIT KOMRIJ

De tranen der ecclesia's (essay, 1999)
Luchtspiegelingen. Gedichten, voornamelijk elegisch
(poëzie, 2001)
Vreemd pakhuis (beschouwingen, 2001)
Hutten en paleizen. De mooiste gedichten (poëzie, 2001)
De klopgeest (roman, 2001)
Inkt. Kapitale stukken (beschouwingen, 2002)
Lang leve de dood. Een bloemlezing in honderd-en-enige
gedichten (anthologie, 2003)
Een zakenlunch in Sintra (verhalen, 2003)
Demonen (autobiografische verhalen, 2003)
Alle gedichten tot gisteren (verzamelde poëzie, 2004)

DE BEZIGE BIJ

Gerrit Komrij

Hercules

2004

DE BEZIGE BIJ

AMSTERDAM

'Persons attempting to find a motive in this narrative will be prosecuted; persons attempting to find a moral in it will be banished; persons attempting to find a plot in it will be shot.'

MARK TWAIN

α

DAAR LOOPT TIM, de held van onze allegorie. Ik zie hem, u ziet hem. Vraag hem niet of hij ijdel is, hij zal het in alle toonaarden ontkennen. Of u antwoorden dat hij ook maar eens mens is, de lafaard. Hij draagt de borst vooruit, of het de borstkas betreft van iemand die alle varkentjes van de wereld wel eens zal wassen, maar hij beschikt over een gemiddelde, onopvallende, misschien wel een beetje *schriele* borst.

't Is een vertrouwd type op straat. Zie hem verwaand kijken! Dat kunnen wij ook, u en ik. Laat hem gerust, trek u niets van zijn ontwijkende blikken aan. We proberen ons samen aan hem vast te klitten. We proberen met een stethoscoop te luisteren naar hoe hij ademhaalt. Hij neemt graag zijn toevlucht tot vermommingen, onze Tim, omdat hij denkt geen gevaar te lopen.

Hij vertrouwt erop dat hij een man uit één stuk is en karakter bezit. Dat hij een geweldenaar is. Wij weten beter. Hij hoopt dat er een schutsengel boven hem zweeft die de eindjes van zijn losbandige leven aan elkaar knoopt. Ook daar denken we het onze van. Iedere keer als het applaus aanzwelt raakt hij dieper overtuigd van zijn heldendom. We klappen om het hardst mee.

Hij heeft zijn zinnen gezet op het vernietigen van wat hij

met enig aplomb en niet gespeend van retoriek zijn 'verachtelijke ik' noemt. Wat bedoelt hij met zijn verachtelijke ik? Zijn menselijke resten, neem ik aan, zijn ongoddelijke kant, zoiets moet het zijn, hij wil er ongetwijfeld mee beweren dat hij nog een ander ik kent, een beter ik misschien, of alleen maar een minder verachtelijk ik.

Zijn naam is Tim. Gewoon enkelvoud. Hij had ook Tobias kunnen heten of Taco. Tijmen of Tjeerd. Thirza is een mooie naam, maar voor iemand als Tim te mooi. Titus, Thibout – afgekloven, maar niet afgekloven genoeg. Tim is net goed. Timtimmus. Tim de Noorman. Tim en de zeven dwergen. De ongelovige Tim. Tim de Verschrikkelijke. Ik moet hem in de gaten houden, ik moet dicht op hem blijven.

Het is een wind die met gulzige tong tegen de muren likt, een wind die hosanna zingt rond het huis, een wind die kleine draaikolken vormt achter de regenpijpen om ze van de muren los te rukken. Het is zo'n wind waarover ze een mensenheugenis later zullen verzuchten dat er sinds mensenheugenis niet zo'n wind was, een wind die weliswaar sedert weken is aangekondigd door de weermannen en weervrouwen van alle weerinstituten, maar die dan toch een storm wordt die niemand zich zó had voorgesteld. Ik hoor iets ratelen, sissen, tollen – het kan niet anders dan een losgeraakt deel van de dakgoot zijn dat door de tuin verder stuitert en uiteindelijk door het struikgewas in zijn vaart wordt tegengehouden. De dakpannen lijken op het huis te dansen als popcorn op een hete plaat. Ik zit in een soort veiligheidsstoel in de salon, als in het oog van de storm, vastgebonden in denkbeeldige riemen en met mijn handen aan een denkbeeldig stuur.

Het is een zware, degelijke fauteuil waarin ik zit, één en al ronding en voorhistorische franje, met leuningen die bijna tot mijn schouderbladen reiken en met een overtrek van legergroen zeildoek tot de vloer, maar het stormgeweld buiten en de voelbare aanwezigheid daar van een legioen mensen, alleen even gemelijk en allen even inhalig, maken van de stoel een vluchthaven, een aan de grond genageld baken en tegelijk een schietstoel die mij, als hij wil, elk moment kan verplaatsen naar een vrediger oord, buiten de atmosfeer. Maar de stoel wil dat niet en ik zou hem om zijn ongehoorzaamheid uit het raam moeten slingeren, het is goed dat de stoel weet dat ik allang van nieuwe meubels droom, meubels zonder gewicht en franje, een witgelakte stoel van enkele latten, een lichte fauteuil met soepel en stoeivast leer. Opnieuw klinkt buiten een vreemd geluid, ditmaal als van een harnas dat uit een katapult wordt geschoten. Kletterend komt een glasplaat neer.

'Timmetje?' zeurt een plagerige stem in mijn oor. De vraag is van niemand speciaal afkomstig, het is een spook, ik besef het, gewoon een van de woorden die zich uitkristalliseren in de kakofonie van geluiden, zoals de aanstormende zee ineens te midden van het geraas een klaaglied lijkt aan te heffen of zoals je tussen het ruisen in de hoorn van een schelp ineens duidelijk een woord denkt te kunnen onderscheiden – liefste, liefste, liefste. Ik besef dat ik te maken heb met lucht en illusie en toch besluit ik de plaaggeest te antwoorden.

'Landingsbaan. Rotspunt.' Ik proef de woorden die uit een onbekend domein lijken op te wellen, die zich puur toevallig opdringen en vreemd genoeg toch vertrouwd en ter zake klinken. 'Gouden stier,' voeg ik er aan toe. Dat moet voldoende zijn voor de plaaggeest, als ze tenminste is die ik graag wil dat ze is, maar er volgen geen verdere vleierijen, het blijft stil in mijn oor, tot de storm die zich beleefd op de achtergrond heeft gehouden opnieuw aanzwelt en in zijn woeste kabaal een maalstroom aan suggestieve geluiden meevoert, de geluiden van bomen die zich ontwortelen, kinderen die aan flarden worden gescheurd, hellepoorten die worden geopend. Drijfjachten op jong leven en vleugelloos gebroed, onderaardse onrust, het rouwmisbaar van de Hades.

In de haard smeulen nog wat blokken na, blokken die er duidelijk halverwege de bui aan hebben gegeven en nu, vermomd als verkoolde lichaamsdelen en bizarre stronken, hier en daar nog in hun oksels en knoesten opgloeien en met ongeregelde tussenpozen een gesis laten horen, begeleid door een even schielijk opkomende als verdwijnende sterrenregen. Nasputterend vuur dat de moed heeft laten zakken en alleen voor een lichtgelovig gemoed nog warmte verspreidt.

Ik zit hier te midden van comfort, omringd door de gemoedelijkheid van wandklok, luchter en tapijt, en ik weet dat het alleen mijn verachtelijke ik is dat zo wil blijven zitten, een deel van me, een lastpak en een parasiet die aan me kleeft, een deel dat ik het zwijgen wil opleggen.

Zwijg, verachtelijk ik, gebied ik. En mijn verachtelijk ik zwijgt, het zwijgt heel even maar, en maakt dan zijn zwijgen weer ongedaan. Het kost moeite mijn verachtelijk ik het zwijgen op te leggen. Ik ben een tweeling, een drieling, een oneindiging, en ik zou verraad plegen aan mezelf als ik deed of ik alleen was. Een wolkbreuk uit een woedende hemel zou het gevolg zijn. Klettert en woedt het niet buiten? Ik wil niet alleen overblijven en toch moet die verachtelijke pottenkijker eruit. Ik wil wel een veelvoud zijn, maar ik wil een veelvoud aan helden zijn.

Ik ben een afgezant van de goden. Ik heet Tim, maar mijn echte naam is Hercules. Of op zijn minst zoiets. Ik wil een veelvoud aan zinvolle wezens zijn, aan types naar wie vraag is en die worden bewierookt. Ik ben mens. Ik ben een mens. Ik ben de mens. Ik ben meerdere mensen. Mijn deugd is groter dan die van een verpleger, mijn woede heviger dan die van een hemelbestormer, mijn talent rijker dan dat van een halfgod. Ik wil iemand zijn die in kranten en glimmende tijdschriften wordt afgebeeld, voor wie alle camera's van schrik uit hun *stand by*-stand schieten, die wordt verwelkomd als de oplossing voor ieders problemen en als de man die alle opgekropte woede in zich verenigt en bedwingt, die alle sluimerende vragen door één antwoord van tafel veegt.

Mijn vrouw, die me Timotheus noemt, troont in de andere fauteuil. Ik weet niet hoe lang ik haar al ken en ik weet niet hoe lang ik haar nog zal kennen. In haar ene hand beweegt ze een naald op en neer en aan haar andere hand draagt ze een vingerhoed, een zilveren vingerhoed die nog, zoals ze me keer op keer verzekert, een huwelijksgeschenk is van haar grootmoeder. Mijn vrouw naait en borduurt voortdurend, ik heb haar nooit anders gezien dan naaiende en bordurende, het draagt massief bij tot het comfort en de gemoedelijkheid in mijn kamer.

Het is geen kleine kamer, het is geen klein huis, het is ook geen kleine stoel waarin ik zit, en toch, ik weet niet, er is iets eigenaardigs aan de hand met mijn verhouding tot stoel, kamer, huis, het is of ik voor alledrie te groot ben, niet omdat ik een ijdeltuit zou zijn of mezelf zou overschatten, maar omdat ik en mijn trias stoel, kamer, huis naar twee verschillende werelden verwijzen, omdat ik me op een andere schaal tussen de voorwerpen beweeg. Het moeten mijn gedachten zijn, de nooit stilstaande gedachten in mijn hoofd, die mijn lichaam een andere dimensie geven, die maken dat ik stoel, kamer, huis kan laten krimpen en uitdijen, die maakt dat ze los van me lijken te staan, net als mijn lichaam zelf overigens.

Ik wandel en ren en tegelijk zweef ik op een vliegend tapijt boven mijn wandelende en rennende lichaam, ik vlieg met mezelf mee en ik pas niet in mezelf. Vooral als ik vlieg en naar de miniatuurstoel in mijn speelgoedkamer kijk, zit me de verdoemde ander die in mij huist dwars, de ander aan wie ik een hekel heb, een kleine despoot is het, mijn verachtelijke ik, en zijn naam is slapte. Slapte om te groeien, naar buiten te treden, huis en haard plat te branden, de vrouw in de fauteuil incluis.

Ik ben tot meer in staat dan dromen alleen, er huist een alleskunner in mij, een man van de daad, een man op wie iedereen wacht en voor wie het nog altijd niet te laat is. Waarom vragen ze me niet om het te bewijzen? Waarom leggen ze me geen taken op, waarom stellen ze me niet op de proef? Ik moet gaan, ik moet gaan.

'Vrijpartijtjes?' zeuren stemmetjes in mijn oor. Duizenden stemmetjes. 'Ongelimiteerde vrijpartijtjes? Geheime huizen, achterkamers?' Ik negeer de stemmen. Dit keer negeer ik ze.

Ik moet nadenken. Ik moet fier en als een echte held nadenken. Ik wil mezelf geen sprookjes vertellen. Ik moet me verzetten, ik verzet me, ik verzet me tegen niets minder dan de hemel.

Ik concentreer me op drijfjachten en onderaards rouwmisbaar. Zou zij die me Timotheus noemt het merken, zouden ze het daarboven merken? Blijf ik huilen, klagen, handenwringen of verzet ik me en onderneem ik iets, ga ik tot actie over, breek ik uit? Een ogenblik bevangt me een onrustig gevoel, want juist in dat ogenblik verbeeld ik me dat mijn opstandigheid wordt beraamd door iemand die boven mij vliegt – een deel van mijn te grote gedachten – maar gelukkig, het ogenblik is onmiddellijk weer voorbij. De mensen buiten roepen me, de wereld roept me, en ik moet hun roep gehoorzamen. Ik moet worden wie de anderen willen dat ik ben.

Zij die me Timotheus noemt en nu voor de afwisseling een boek leest laat een papier vallen, het is een bladwijzer en dwarrelt langzaam op de grond. Misschien word ik langzaam gek omdat we zo weinig met elkaar praten. Ik heb wel vernomen van echtparen die elkaar de hele dag door verhalen vertellen, verhalen die beginnen bij het begin en eindigen bij het eind en die ze volstoppen met de meest onmogelijke en overbodige details, dat de wekker kubusvormig is, van welk merk de trui, hoe smaragdgroen het groen van de toch al groene boom en bij de hoeveelste spijl van de crisisjarenpoort ze elkaar hebben ontmoet, om twaalf uur tweeëndertig.

Ze weigeren te verzwijgen waar de ivoren knop van de geplamuurde vleugeldeur zat die ze naar elkaar opensloegen en weten zeker dat al die details een wereld afbeelden of oproepen of reconstrueren of wat ook, hoe meer futiliteiten hoe hoger de dekkingsgraad van de werkelijkheid, terwijl ze weinig meer doen dan de tijd rekken en een rookgordijn leggen rondom hun angst, de angst dat ze de ene futiliteit kunnen inruilen voor de andere. Details zijn er om te vergeten, net als de werkelijkheid, en ze zijn even vervelend.

Alleen in een wereld die niet weet waar ze vandaan komt en waar ze naar toe wil worden details van levensbelang, ik begrijp het, hoe leger de wereld hoe groter de honger naar details, ze vreten details, ze zijn bereid zich te verslikken in details in de hoop dat drie precies omschreven knoopsgaten de god van het knoopsgat oplevert, in de hoop dat een robot vanzelf tot leven komt als hij door de verteller met voldoende net-echte draden, net-echte knoppen en net-echte klinknagels wordt volgestouwd.

Verdomd! Ik heb in dit huis voornamelijk gezwegen en ik heb er minder mee bereikt dan wanneer ik de hele dag met haar in tweegesprek was geweest. Zie haar zitten! Ik zou haar kapsel moeten beschrijven, haar neus, haar vingers, haar bovenbenen. Misschien ligt in de details toch de redding.

Zij die me Timotheus noemt snuit haar neus en duwt de zakdoek weg in de wellustige gleuf van de fauteuil, de diepe gleuf onder de rechterleuning bij haar rechterbovenbeen. Ze vertelt me niets en toch heb ik uitgerekend haar tot gesprekspartner gebombardeerd. Ik heb haar uitgeroepen tot persoonlijk gezelschap, tot meubelstuk onder de meubelstukken in het verstofte griezelkabinet waar ik woon. Ik kneed haar naar mijn beeld omdat bombarderen en kneden nu eenmaal in mijn aard ligt.

Ik heb mezelf gerangschikt, gedrapeerd en verschoven tot ik het verkillende effect van afwezigheid bereikte, een afwezigheid die haar juist lijkt te stimuleren, een afwezigheid die de storm contrastrijker maakt en het vuur in de haard noodzakelijker. Nu eens is de vrouw in de fauteuil met de franje kort, dan weer is ze lang, ik maak haar zoals ik wil. Ik kneed haar in de vorm van mijn grillige fantasie, statig als een Olympische godin en kronkelend als de slang in het paradijs. Ik heb er plezier in haar naar mijn beeld te vervormen omdat het zo eenvoudig gaat. Ze gehoorzaamt zonder dat ze doorheeft dat ze gehoorzaamt.

Een tijd geleden bezat ze nog één gestalte, in de tijd dat ik nog wel eens gelukkig met haar was, in de tijd dat ze mijn gedachten en lichaam nog wel eens in beslag nam. Toen had ze maar één lijf, het lijf van een trouwe hond, toen had ze maar één stel benen, niet de gemarmerde zuilen van nu, maar de benen van een veulen dat achteloos over kreupelhout sprong. Over één voorkomen beschikte ze, het voorkomen van een moedergodin die hoog boven me uittorende en die ik aanbad. Aanbidden? Ik wilde haar verslinden en onder mijn gewicht verpletteren, ik wilde haar laten uitvloeien in de zee. Dat alles wilde ik en toch was het ondenkbaar, er kon geen sprake van zijn. Ze beheerste *mij*, ze vormde mij. In welke tijdrekening was dat? In welk heelal?

De versuffing en de routine moeten al vroeg zijn ingetreden. Ik ben zelf de draad van mijn leven kwijt. Ik moet gaan. Mijn decor bestaat uit de bebrilde neus waarover ze loert naar naald en vingerhoed, of soms in een boek, mijn decor bestaat uit deze Victoriaans volgestouwde kamer waaruit ik keer op keer de franje en de gekrulde poten wegdenk, omdat ik verlang naar de strakheid en de eenvoud van glas en staal. Vervloekt decor!

Nu loert ze naar mij. Ik denk haar bril weg, ik verbeeld me haar zonder bril. Ik maak haar tijdloos, subliem, klassiek. Haar hoofd verbleekt, wordt van gips, groeit en groeit, tot het zo groot is als de Juno-kop uit de villa Borghese, een hoofd zo hoog als een mensengestalte, een gipsmodel van enorme omvang, louter voorhoofd en louter ogen. Ik voel dat ik mijn bezwering weet vast te houden, dat ik haar hoofd vervolmaak tot het als twee druppels water lijkt op de schrikwekkende Juno-kop, ik sluit mijn ogen om me te concentreren, ik wil dat het hoofd zich kan bewegen, dat het een eigen wil krijgt en begint aan een statige zweefvlucht.

Ik open langzaam een oog. Ik open mijn andere oog. Daarna doe ik ze beide weer dicht. Ik hoor haar vragen, of liever ik hoor de Juno-kop vragen, met een uit de verre oudheid verdwaalde, nasale stem: 'Zou je niet – ' en ik open mijn ogen en ik zie haar lippen bewegen en boven het stormgejoel uit, boven het geluid uit van duizenden flessen op een voorthobbelende vrachtwagen, boven de tintinnus in mijn oren uit die als een Niagara-waterval door mijn achterhoofd dendert, hoor en zie ik haar zeggen: 'Ga dan.'

♌

VOOR WIE WIL Tim bewijzen dat hij de held is? Hij schampert op bovengeschikten, het is zeker ook geen god die hem drijft, al zou hij aanpappen met de eerste de beste god die zich aandient. Hij is lang op zoek geweest naar een paar ogen – meerdere paren – om in te schitteren. Hij moet schitteren, dan komen de bewonderende ogen vanzelf. Daarvan is hij overtuigd. Hij heeft een stem gehoord die hem opdroeg te gaan en nu moet hij ijlings iets verzinnen. Reisplannen had hij niet, hij stort zich hals over kop in het avontuur. Hij heeft de stem die hij hoorde zelf opgeroepen en moet de wijde wereld in, of hij wil of niet. Voorlopig heeft hij geen ander idee of het moet een safari zijn. Een eiland, de noordpool, het had ook gekund. Tim volgt de aanbeveling van het reisbureau.

De terreinwagen beweegt zich door het ruwe en glooiende landschap zoals terreinwagens zich door ruw en glooiend landschap bewegen, schokkend en hikkend, nu eens vooruitschietend of hij zich van een ketting heeft losgerukt, dan weer tergend traag of hij moed verzamelt voor een aanval op leven of dood. De wagen steigert, stokt, schommelt zijwaarts. Gelukkig is er een ijzeren stang aangebracht rond de open laadbak waarin de deelnemers aan de rondrit zitten, in twee groepen van zes tegenover elkaar. Het is nog een hele kunst de stang achter zich omkneld te houden en tegelijk met fiere, ontspannen blik de natuur het hoofd te bieden.

Tim ziet dat hij zich in het gezelschap bevindt van louter dames, gehuld in een verfrommeld allegaartje van lappen en zeildoek en met zijden sjaaltjes om het hoofd tegen de wind. Elf dametjes die ondanks hun broosheid de elementen trotseren en op overtuigende manier de indruk wekken of ze regelmatig voor dag en dauw een terreinwagen beklimmen om naar de wilde beesten te gaan.

Wanneer de wagen opspringt vanwege een boomstam over de weg – het kan ook een reusachtig bot zijn geweest – laat een van de dametjes naast Tim zich met haar hele knokige lijf over hem heen vallen. Bijna net zo snel als ze de stang heeft losgelaten trekt ze er zich weer aan op. Het is in een oogwenk voorbij en toch is Tim geschrokken van de aanraking van het magere lichaam. Hij kijkt haar aan of hij een onherstelbare wandaad heeft gepleegd, maar ze glimlacht vriendelijk terug, verder niets. Bij de volgende schielijke afdaling is hij al gewend aan het vlindergewicht van dametjes.

Tussen het manshoge struikgewas duikt keer op keer het ruime landschap op, blikkerende gedeelten tussen de schaduwpartijen. Soms lijkt het of ze langs wanden met verticale jaloezieën rijden, strokenwanden, zo snel gaat de afwisseling tussen licht en donker. Als een pas gepoetste koperplaat duikt het landschap op tussen twee donkere vlechtwerken van kreupelhout en is dan weer weg.

Na een half uur rijden zijn alle vlechtwerken verdwenen en de takken, die eerder leken op de potloodtekeningen van gekken dan op voortbrengselen van een harmonische natuur. Alles is open vlakte met dor gras en dwergachtige plantengroei. De ogen van Tim wennen en de lichtbundel vult zich met punten en lijnen. Hij ziet in een dansend waas bergkammen en pieken, ver weg aan de horizon.

Tim geniet van de ruimte, ze hebben hem goed ingeschat door hem de ruimte in te tillen, hij wordt er groter van terwijl de dametjes nog eens extra lijken te verschrompelen. Zo door de natuur te worden opgenomen, als een vrij man en met elf vrouwen die dol op hem lijken, het kan niet beter. Tim voelt dat hij er goed aan heeft gedaan om vanochtend, op zijn kamer, zijn kleding af te stemmen op wat er die dag zou gebeuren.

Hij is in het geelgroen gekleed, een soort kaki dat knispert en toch zijn mannelijke gestalte laat uitkomen, ruim en niet onelegant. Op zijn hoofd draagt hij een muts van luipaardvel, of liever gezegd de nabootsing van een luipaardvel, om te kennen te geven dat hij ook zelf wel beseft dat hij, ondanks zijn militante uitrusting, deze dag als een uitje beschouwt, een gezamenlijk uitje. Hij draagt een veldfles en een pijlenkoker bij zich. Hij wil de held van de dag worden, maar met een vriendelijk gezicht. Heldendom van deze tijd, denkt hij, kan niet zonder lichte toets. Hij heeft de muts onlangs gekocht in een bazaar in de hoofdstad. Drie dollar heeft hij betaald, terwijl de koopman tien dollar vroeg.

Bij elk gilletje van de dames glimlacht hij. Een glimlach bij elke kuil, elke steile afdaling, elke boomtak, elk versneld optrekken, elk skelet. De dames glimlachen terug. Eindelijk zijn ze bij het officiële wildpark. Er zijn hier nog wel glooiingen en weidse uitzichten, maar ook het kreupelhout is overvloedig terug. De dichte bosschages en de silhouetten van kermende bomen worden talrijker. Het licht blijft warm en koperkleurig. Er klinken nu onafgebroken oh's en ah's. In dit dal lijkt aan elke tak een aap te hangen. De dametjes klemmen zich uit solidariteit nog steviger vast aan de ijzeren stang van hun laadbak.

Af en toe stopt de wagen om de deelnemers een beter uitzicht te gunnen op het achterwerk van een zebra. Ook wordt driftig gewezen naar kleinere dieren des velds, een bontgekleurde hagedis die zich voorbijrept of een kevertje dat zich vergeefs probeert te verbergen onder een dorre graspriet. Een van de dames weet stellig dat het een scarabee is. Een andere dame wijst haar terecht. Ze heeft in haar jonge jaren biologie gestudeerd, vertelt ze met geheven wijsvinger. Dat moet de doorslag geven. De dame die er het meest Japans uitziet begrijpt niets van hun discussie. Haar onbegrip gaat vergezeld van een glimlach.

Er komt een baviaan in beeld die zich met veel bravoure onder zijn oksel en in zijn kruis krabt. De dames glimlachen. Tim glimlacht, zijn ene hand om de stang geklemd, de andere om zijn pijlenkoker.

Dit begint te vervelen, denkt Tim. Ik ben hier niet om me te vervelen. Ik ben niet op de wereld geschopt om zelfs maar een moment van verveling in me te voelen opkomen. Bovendien heeft het gezelschap recht op een van mijn kunstjes. Ik ben door vrouwen omringd en dat schept verplichtingen.

Gelukkig duikt tussen het geboomte bijtijds een giraffe op. Daarna nog een en nog een. Vijf, zes halzen bij elkaar die als cocktailstampers uit een glas oprijzen, los van elkaar en toch door de onzichtbare kracht van het afwezige glas bij elkaar gehouden. Vijf, zes koppen op die halzen, merkwaardig kleine koppen voor zulke gevaarten. Als ze zich bewegen doen ze dat schoksgewijs, of ze door een tandrad worden voortbewogen. Het grootste deel van de tijd verroeren de koppen zich niet, ze bieden een bevroren, doodse aanblik. Elk van de koppen lijkt op een gebalde vuist met twee uitgestoken vingers, gewikkeld in een wollen handschoen. Verfrommeld deinen ze met de halzen mee, ze deinen boven het geboomte als handschoenen boven de rand van een poppenkast, ze schommelen in de ruimte en verdwijnen weer achter het ondoordringbare takkenweefsel. Giraffen zijn ondankbare schietschijven, denkt Tim, en net als hij dat heeft bedacht zijn de giraffen weer uit zicht verdwenen en heeft het gezelschap zijn tocht langs halsloze bosjes en struiken hervat.

'Een leeuw,' roept de dame die biologie heeft gestudeerd. Wat Tim opvalt is haar zware stem. Ze is duidelijk geschrokken en daar hoort een hoog geluid bij, een afgeknepen, wild geluid, maar veel tijd om zich over de laconieke tenor van de biologische dame op de wagen te verbazen heeft Tim niet, want de wagen stopt, behoedzaam en zonder geknal of gepuf. De dametjes blijven zo goed en zo kwaad als het gaat stilzitten en draaien alleen hun ogen in de richting van de leeuw, iedereen kijkt gebiologeerd en Tim kijkt gebiologeerd mee. Een leeuw is een bezienswaardigheid van de eerste orde. Een leeuw maakt van elke open plek in het bos een kathedraal. Geschrokken van het plechtige moment neemt zelfs de meest ongelovige de hoed af. Een leeuw verlamt de omgeving, hij houdt de lichamen van mensen op eerbiedige afstand, terwijl hij hun blikken tot zich trekt. Een tegenstrijdig magnetisme dat ook Tim een poos tot willoze pop maakt.

Een terreinwagen vol open monden.

Tim herstelt zich als eerste. Hij is een doorgewinterde ongelovige, een gepatenteerd ongelovige, en dat zal hij de dames tonen ook. Zijn mond is droog geworden en hij neemt een slok uit zijn veldfles. Vervolgens trekt hij een pijl uit zijn pijlenkoker, strijkt liefkozend met de speerpunt langs zijn linkerwang en langs zijn rechterwang, en tilt de pijl de lucht in. Hij doet of hij mikt en bovendien trekt hij kringetjes met zijn hand, of hij een lasso werpt. Pas op, willen al deze bewegingen zeggen, hier wordt aanstonds een leeuw geveld, hier komt de definitieve jagersdaad. De dametjes proberen met hun ene oog naar het beest te kijken en met hun andere naar Tim. Hij moet er niet zo op zijn luie kont bij blijven zitten, denkt Tim, hij moet gaan staan. Hij moet zich verheffen. Even later staat hij martiaal overeind. De pijl is meegerezen en de rafels onder de speerpunt trillen indrukwekkend.

Zonder een moment aan zijn eigen moed te twijfelen en zonder aan heiligschennis te denken werpt hij zijn pijl de ruimte in. Het suizen wordt honderdvoudig versterkt en keert als een hoog gefluit terug in zijn oor. Een voorbeeldige boog legt de pijl af, de wereld in twee helften delend, een deel boven de pijl en een deel onder de pijl. De pijl klieft, zoeft, zweeft, doet alles wat een pijl behoort te doen, stormachtig en majestueus. Dan, plof, komt de pijl schaapachtig natrillend tot stilstand in een boomstammetje, vijf meter naast en twintig meter achter de leeuw.

De dames lachen wat, terwijl inmiddels al hun ogen op Tim zijn gericht. Hij weet zeker dat het een bewonderend toelachen is. Het kan niet anders of ze moedigen hem aan de strijd te vervolgen. Ze zijn al bijzonder gelukkig met zijn eerste aanval, hij leest het in hun blik.

Tim doet of hij niet ziet wat er met de pijl is gebeurd en begint met een denkbeeldig geweer in het wilde weg rond te vuren. Hij richt de onzichtbare loop op de leeuw en haalt de onzichtbare trekker over. Pief. En nog eens pief.

Als ik doe of ik schiet schiet ik, denkt Tim. Als ik beweer dat ik een leeuwenjager ben word ik op hetzelfde moment de grootste leeuwenjager. Zo zit ik in elkaar. Overtuigend, consequent. Mijn dappere ik hoeft geen strijd te voeren met mijn verachtelijke ik. Wee de sukkel die eerst dient te bewijzen dat hij iets voorstelt. Wee het heldendom waar mensen niet in geloven zonder dat de kandidaat-held eerst een daad heeft gesteld. Tim kucht. Mijn moed is mijn tweede natuur, denkt hij, geen examenopgave. Hij maakt nog een paar nasudderende gebaren met zijn geweer en schudt zijn lokken.

Onopvallend heeft het voertuig zich weer in beweging gezet. De passagiers merken het pas als de slapende leeuw in de coulissen oplost. Tegelijk begint het hobbelen en stoten opnieuw en iedereen grijpt verwoed naar de stang. De pijlenkoker en veldfles van Tim schieten vanzelf op hun goede plaats. Het landschap wordt steenachtiger, met grotten en kloven, een vallei voor holbewoners moet dit ooit zijn geweest. Links en rechts duiken zwarte gaten op waarachter iemand met gemak een gezinswoning kan vermoeden. Het lukt de terreinwagen steeds minder de grove rotsblokken te vermijden.

Bij een al te groot obstakel op de weg veren alle passagiers van hun zitbank omhoog, de greep om de ijzeren stang verslapt en gaat teloor, een dreun weerklinkt en Tim komt op de schoot van een dame terecht. Verdwaasd graaiend zoekt hij houvast. De dame schrikt hevig en bijt hem in zijn hand. Het is toevallig de Japanse dame, die de scherpste tanden bezit. Meteen daarop wordt iedereen door een volgend al te groot obstakel naar zijn oude plaats teruggeschud, ze slingeren, wankelen, schuiven, waarna het evenwicht is hersteld.

De wagen staat stil. Beduusd en lichtelijk gegeneerd kijkt iedereen elkaar aan, de blikken gaan van de dames naar Tim en van Tim naar de dames. Uit zijn wijsvinger valt een grote druppel bloed. Langzaam, als een rode bonzai-peer.

Even voelt Tim hoe de schaduw van zijn verachtelijke ik over zijn voorhoofd strijkt, dan vermant hij zich en niet langer staart hij sneu naar zijn vinger, maar hij balt zijn paars aangelopen en bloedbevlekte vuist en laat een strijdkreet horen. De dames slaken gilletjes. Nu mag hij de laatste kans om indruk te maken niet laten voorbijgaan, hij voelt het tot in zijn vezels. Hij zal ze het bewijs leveren van zijn dapperheid en tegelijk de kwelgeest in hem tot zwijgen brengen. De kwelgeest die fluistert dat hij traag en lui is en liever het leventje van een toeschouwer leidt, een toeschouwer die zich laat rondtoeren op wagentjes die voor toeschouwers in elkaar zijn geknutseld en tussen dametjes die zich als toeschouwers gedragen, van wandelschoen tot hoofddoek afhankelijk van gids en verrekijker. Deze wereld van passiviteit is zijn woning niet, hij is een man die het voortouw neemt en imponeert, die recht heeft op aandacht. Ineens staat zijn bestemming hem duidelijk voor de geest en hij voelt zijn kwelgeest al behoorlijk krimpen. Wilde hij niet vermaard worden om zijn daden, de man zijn die tot actie overging, de vijand van de meditatie en het zittend leven?

'Een leeuw,' verklaart Tim plechtig, wijzend naar een hol aan de kant van het pad. De dames zien niets, maar hij beweert het zo stellig, met een juiste mengeling van onverschrokkenheid en pedagogie, dat ze hem op zijn woord geloven. In het gapende, duistere gat zijn de contouren zichtbaar van een leeuw, ze zouden er op durven zweren. Of op zijn minst van klauwensporen in het rulle zand.

Tim veinst één en al concentratie. De wereld buiten het park is verdwenen, de wereld van slotmachines, kettingbotsingen en torenflats, de wereld waarin iemand op twaalfhoog dood op zijn kamer wordt gevonden, met rooie vlekken in zijn nek, een dikke tong en een urinevlek aan zijn voeten in de beige vloerbedekking, met een briefje in zijn verstijfde hand dat hij geen kwalen heeft en geen zorgen, maar dat hij moe is geworden van aan zichzelf te denken, ver weg van deze kamers veinst Tim één en al concentratie.

Hij schuift de pijlenkoker van zijn schouder en zet de koker tussen de dames in, schuin tegen de ijzeren stang. De pijlen en het denkbeeldige geweer hebben een voorproefje geboden van zijn kunnen. Nu kan hij het met blote handen af. Hij springt van de bak en loopt, nagestaard door de verbluffte dames, met zijn bebloede vinger recht voor zich uitgestoken de grot in – een wandeling waarbij hij niet één keer hapert of zelfs maar van de rechte lijn afwijkt. Bij ieder ander zou het op overmoed lijken, alleen bij hem is het de natuurlijkste zaak van de wereld. Zo loopt een held het hol van de leeuw in.

Tim verdwijnt geheel in de grot. Het is niet duidelijk of wat vervolgens gebeurt zich in het hoofd van de dametjes afspeelt, in het hoofd van Tim of in een fata morgana halverwege een onbekende hemel en een onbekende aarde. Misschien speelt het zich ook in de werkelijkheid af, maar daarvoor is het geheel te geurloos. Er stuiven een hoop stofwolken op, er klinken geluiden van vlees op vlees en bot op bot, maar de stank ontbreekt. Zonder stank geen werkelijkheid. Geurloos stuifzand, geurloze plantengroei.

Het moet wel in de hoofden van de dames in de wagenbak gebeuren, want het gaat er wild en hartstochtelijk aan toe. Een sterke man is het middelpunt. Hij neemt het voor de dames op door hen van een dreigend gevaar te verlossen. Aan hem hebben ze hun verdere leven hun voortbestaan te danken. Ook hebben de dames vandaag te lang hun behoefte moeten ophouden, visioenen van constipatie en geklater staan om de hoek klaar om toe te springen en bezit van hen te nemen. Elke afleiding is welkom. De verbeelding wordt voortgejaagd door uitstel van de stoelgang en verschilt daarin niet van de realiteit. De dames vernemen geklater in de geurloze grot, een straal die spat en bruist. Daar vloeit bloed!

Er komen vervaarlijke geluiden uit het duister aangewaaid, gestampvoet en het slaan van vlees op vlees. Zoveel stof wordt uit de grot geblazen dat het lijkt of er binnen een explosie heeft plaatsgehad. Ze horen een leeuw brullen of ze horen iemand die het brullen van een leeuw nadoet, het maakt voor de dames geen verschil. Ze sidderen, ze krimpen ineen, ze wippen op hun bank op en neer. Nog een keer een ijselijk gebrul en dan een diepe zucht. Er moet iets enorms zijn gebeurd, een beest gewurgd, een man verpletterd. Enkele minuten heerst er een volmaakte stilte. De stofwolken zijn gaan liggen en de zwarte holte gaapt nietszeggend.

Dan treedt Tim uit het gat naar voren, het verblindende licht in. Zijn geelgroene vrijetijdspak is verfomfaaid en hier en daar gescheurd en er hangen rafels aan zijn luipaardmuts. In de hand die niet bloedt houdt hij, tussen duim en wijsvinger, plechtig een dood vogeltje. Een vogel in schitterende kleuren, maar niettemin morsdood. Als een trofee draagt hij het vogeltje naar de terreinwagen toe.

De dames juichen. Magere armen worden in de lucht gestoken en in het enthousiaste gekrioel wordt de luipaardmuts van Tims hoofd gerukt. Een van de dames ontfermt zich over de pijlenkoker en de muts wordt op een pijl geplant.

Meteen zet de terreinwagen zich in beweging. De triomfantelijk in de lucht gestoken pijl met het zingende gezelschap daaronder wordt kleiner en kleiner aan de horizon en verdwijnt uiteindelijk uit de vallei.

's Avonds zitten ze aan tafel. De eetzaal is ruim en blinkend wit. Het wit van de lakens, het wit van de kaarsen, het wit van de oberjasjes, het wit van de zakdoeken en manchetten, het draagt allemaal bij tot de sfeer van een ijspaleis. Een wintertuin met een schaatspiste en met bevroren hoge ramen, uit de stad getild en in een vlakte neergeplant. Een weidse, blanke zaal waar iedereen zich glijdend naar elkaar toe en om elkaar heen beweegt. Buiten is de lucht bloedrood van de ondergaande zon. Alsof er van hogerhand – maar van wie, vanwaar? – een bevel is uitgevaardigd dat de gloed buiten diende te blijven. De bloedbuil hangt tegen de grote ramen aan en dringt niet tot de eetzaal door.

Tim opent zijn servet en knikt naar de dames, die verderop aan hun eigen tafeltjes hebben plaatsgenomen. Er zit een mooi wit verband om zijn wijsvinger. Elf paar ogen kijken terug. Wat denken ze bij het zien van het verband? Koesteren ze bewondering voor zijn blessure en voor de strijd die hij heeft doorstaan? Verbazen ze zich over de elegantie van de witte knoop? Slaken ze in stilte kreten van verrukking bij het ontdekken van het witte verband?

Dat hij een logge paljas is die een belachelijk nummertje opvoert begrijpt Tim niet, hij ziet alleen de dames in avondkleding die eensgezind terugknikken als hij ze toeknikt en even eensgezind hun hoofd een beetje schuin houden zodra hij zijn hoofd schuin houdt. Pas dan realiseert hij zich dat alle dames een lapje luipaardmuts achter hun oor hebben gestoken, elf variaties op een luipaardmotief achter elf krakende oren. Mooier eerbewijs is niet denkbaar.

Eindelijk tevreden, verachtelijk ik? vraagt Tim. Hij is er zo zeker van dat het zijn verachtelijk ik niet aan tevredenheid ontbreekt dat hij het antwoord niet afwacht, de kleine despoot *moet* wel delen in zijn triomfantelijk gevoel, het kan niet anders, al is het welbeschouwd niet de bedoeling dat het despootje tevreden is, het is de bedoeling dat Tim zijn taken goed vervult en daardoor zijn verachtelijk ik langzaam maar zeker overbodig maakt. Hoe heet je, verachtelijk ik? vraagt Tim meteen daarop. Zie je, het is al te zwak om te antwoorden.

28

♋

TIM LOOPT IN de menigte, hij bestudeert de wandelpas van de meisjes en de mode van de heren, hij wordt afgeleid door een machine die grote plastic bollen uitspuugt en door een bedelaar die met brede uithalen van zijn arm viool speelt zonder geluid voort te brengen, en ineens ziet hij haar, zoals ze met haar bleke halo en haar gipsen ogen om de hoek van de torenflat komt aangezweefd, een medusahoofd dat topzwaar is en toch niet kantelt en hij beseft dat ze hem strak aankijkt, dat ze niet ver van hem willens en wetens tot stilstand komt en hem blijft aankijken, pupilloos, irisloos, oogbolloos, en toch op een wijze die geen tegenspraak duldt. Ja ja, ik ga al, fluistert Tim, ik ben al op weg.

In een andere tijd, een heel eind verderop, is het een drukte van belang, een drukte die nu en dan dreigende vormen aanneemt, met geluiden die aanzwellen, lichten die opflitsen, stank die opwelt. In feite is het niet zo'n eind verderop en of het een andere tijd is valt ook te bezien. Het zou vlakbij u en mij kunnen zijn, precies op dit moment.

De beweging van de voortstuwende mensenzee is zo onvoorspelbaar, de geluiden zijn zo hinderlijk voor de oren, de lichtflitsen zo pijnlijk voor het oog, de geuren zo onverdraaglijk dat Tim heeft besloten aan de mensenzee te ontstijgen – hij hangt en drijft zo'n beetje boven de miljoenen koppen, koppen met hoofddeksels, koppen zonder hoofddeksels, koppen als knopen in een kleed, in alle tinten tussen wit en zwart en verder met de kleuren van rood haar, geel haar, viooltjeshaar, strooien hoeden, sombrero's, bonte sjaals.

Daar zweeft Tim boven, gewoon omdat hij kan zweven als hij zin heeft, en hij heeft zin omdat er op deze plaats, op dit moment, te veel mensen bij elkaar zijn, deinende, krioelende druktemakers die zich ergeren aan elkaars aanwezigheid en die snel de door anderen achtergelaten leegtes opvullen, armzalige hoeveelheden leegte, leegtes van niets. Tim kan zich niet herinneren ooit zoveel mensen, zoveel koppen, zoveel stippen bij elkaar te hebben gezien en hij herinnert zich in elk geval niets van deze onrustige stemming.

Iedereen lijkt opgewonden zonder dat er duidelijke redenen voor de opwinding bestaan. De ene voetganger lijkt boos op de andere voetganger zonder dat de ander hem boos maakt. Allemaal lijken ze samengedromd rond een zwaartepunt dat geen aantrekkingskracht bezit, alsof er wordt samengedromd omwille van het samendrommen, er klinken kreten uit de mensenvloed omhoog, soms enkele kreten tegelijk, maar ze vertonen geen samenhang, het is een reeks zonder oorzaak of gevolg, afzonderlijk afgevuurd door geïsoleerde kelen.

Soms ontmoeten de kreten elkaar in de lucht, zelfs een keer pal onder de buik van de zwevende Tim, en dan vallen ze samen om op te lossen met een lichte plof, het smadelijkst denkbare einde voor een vurige leus of een vervloeking. Als de kreten aan hun ontploffing toe zijn is de mensenmassa al weer opgerukt, honderden meters verder, nauwelijks verneembare explosies zijn het boven niets begrijpende oren. De menigte golft voor de leuzen uit en de aansporingen blijven verweesd achter.

Verbeeldt Tim het zich of proberen zich werkelijk groepjes mensen van de grond te tillen? Hij ziet duidelijk opwaartse bewegingen, uitstulpingen die meteen verdwijnen, als gasbellen in een bad. Sommige bellen proberen het een tijd uit te houden, andere lukt het tot iets van een pilaar uit te groeien, zich verheffend boven de machtelozer collega's, maar ook de pilaren zinken snel in de menigte terug.

Bellen en pilaren zijn het die zich sterk willen maken, die een vuist ballen tegen de hemel, een naar vorm zoekende kluwen van koppen, rompen en ledematen. Aan schuimkoppen doen ze denken, aan bruisende uitlopers van watergolven waarin zich allerlei gezichten aftekenen, een neus, twee ogen en een gefronst voorhoofd, mits je het maar wilt zien, een opgetrokken wenkbrauw en een gulzige zuigmond, als je de fantasie de vrije teugel wilt laten.

Tim hoeft zich in zijn luie positie weinig gelegen te laten liggen aan nuchterheid en praktische beslommeringen, hij heeft zijn hoofd niet nodig voor zijn voeten of ellebogen, hij zweeft vanzelf wel voort en hoeft niet te vechten voor een eigen bewegingsvrijheid of een suggestie van bewegingsvrijheid, hoe belachelijk klein ook, dus hij kan zich vrijelijk overgeven aan de gasbellen en uitstulpingen, hij kan er naar hartelust vormen en patronen in herkennen, als een onbezorgd kind dat in de wolken strijdkarren ziet, baarden en to-ga's.

Het kost Tim geen moeite in de zich omhoogstuwende pilaren halzen te herkennen, halzen die terugzakken en zich verheffen, halzen waarop zich na verloop van tijd hoofden beginnen te vormen, hoofden die vooralsnog mislukken en nergens op lijken. Het andere bataljon intussen, dat van de bellen en bolvormige uitstulpingen, begint naarmate het vaker en hoger springt pilaren onder zich te ontwikkelen, pilaren die zonder meer de vorm hebben van halzen.

Tim ziet hoofden op halzen groeien en halzen onder hoofden, in beide gevallen ontstaan er grimmige koppen uit die zich in zijn richting bewegen en er steeds langer over doen om te wijken en onder te gaan in de mensenvloed. Wat Tim onder zich waarneemt zouden voor een minder bevoorrecht beschouwer of voor iemand die, zeg maar, op weg is naar een kantoor of een warenhuis ook bloemkolen kunnen zijn, of modderkluiten, of rode kolen, maar voor Tim staat het vast dat het koppen zijn, op mensenhoofden en dierenhoofden gelijkende koppen, met een snuit, neusgaten, een voorhoofd, met een mond die open en dicht kan.

Aan sommige koppen ontbreekt de kin en hij ziet koppen met maar één oog, maar er is voor Tim geen twijfel mogelijk – dit zijn koppen die naar hem grijnzen, die hem proberen te bereiken, die hem kwaad willen doen. Dat laatste dringt pas tot hem door als het bijna te laat is. Eerst dacht hij uit gewenning nog aan een eerbetoon, een onstuimig en irregulier applaus dat opsteeg, een vorm van nieuwsgierigheid misschien, aan de dag gelegd door een naar vrijheid en verlossing hunkerende menigte voor de wonderlijke weldoener daarboven.

Bij de eerste keer dat een hoofd hem probeert te treffen denkt Tim inderdaad nog aan een poging tot liefkozing. Hoofden die spontaan uit de klei opschieten zonder hun voedingsbodem te kennen zijn eenzaam. Ze hunkeren naar een aanraking. Ze zijn ook zelfbewust na hun inspanning om tot onafhankelijkheid te komen en staan te popelen om iemand anders aan te raken. Dit alles schiet door Tim heen bij de eerste keer dat hij een kopstoot voelt.

Vervolgens is er een hoofd dat hem uit zijn baan probeert te duwen en een hals die zich rondom hem slingert. Er huist nog niet voldoende kracht in de hals, de hals glijdt terug en valt als een hulpeloze lasso terug in de klei die hem heeft gevormd. Toch is het Tim inmiddels duidelijk geworden dat het geen goedaardige toenaderingen zijn, daarvoor gaat het allemaal te hevig in zijn werk. Het komt hem nu ronduit vervaarlijk voor, het gaat lijken op een bokswedstrijd, het zou ook om lange armen met vuisten kunnen gaan die het op hem hebben gemunt of het misschien niet eens op hem hebben gemunt maar hem alleen bedreigen omdat hij toevallig daar zweeft. Het zou ook om lange stokken kunnen gaan met sponzen, gedrenkt in azijn.

Hoe dan ook, Tim voelt plotseling een steek in zijn zij, als van een tand of splinter, mogelijk ook van een zweepslag. Een van de hoofden heeft hem geraakt. Tim begint wild met zijn armen te zwaaien. Zijn hele lichaam golft. De ene aanraking volgt na de andere, nu eens een aai, dan weer een stoot, de koppen duwen hem naar links en naar rechts, ze tillen hem op en brengen hem aan het kantelen.

Eerst slaat hij de aanvallers van zich af of het lastige vliegen betreft, waarbij het gebaar en de luchtverplaatsing belangrijker zijn dan het daadwerkelijke treffen, maar al snel ontstaat er een heus tweegevecht, Tim die de strijd aanbindt met het legioen der koppen.

Hoeveel zijn het er? Elke poging om ze te tellen blijkt vruchteloos, ze verdwijnen even snel als ze komen, ze lijken zich te splitsen en te vermenigvuldigen en soms ook zijn ze aan het zicht onttrokken, eenvoudig omdat Tim door elkaar wordt geschud en zijn ogen stijf moet toeknijpen. Ze wekken de indruk met honderden tegelijk aan te vallen, al moeten het er in werkelijkheid minder zijn, want elk hoofd werkt voor tien. Waarschijnlijk zijn het er niet eens meer dan tien.

Al snel houdt Tim op met tellen, het leidt tot niets en hij heeft al zijn aandacht nodig voor de tegenaanval. Honderd, negen, duizend, drie telt hij, en dan is hij alweer verward in een worsteling die hem elk uitzicht beneemt. De aantallen worden vloeibaar, de getallen irrelevant. Legioen is het woord.

Koppen van simpele mensen zijn het, lege koppen die naar een leider verlangen, Tim, neem je kans waar. De mensen zijn onrustig geworden, ze hebben genoeg van hun monotone leven en ze zijn bang voor verandering. Ze willen dat iemand hun dilemma oplost, Tim. Ze zijn ongelukkig met hun geluk en gelukkig met hun ongelukkigheid. Ze mokken en dreinen. Terwijl ze aan het einde van hun Latijn zijn willen ze feestvieren, ze willen dansen, ze willen belangrijk zijn, ze weten niet wat ze willen. Ze zoeken een ceremoniemeester.

Het begint er lelijk voor Tim uit te zien. De veelkoppige massa komt hem voor als een woud van stalactieten, van orgelpijpen, van bokshandschoenen, en is vooral mateloos onbetrouwbaar. Hij wil roepen en 'O, o!' brullen en 'Terug!', maar wat uit zijn mond komt klinkt stoffig en rommelig. Kaakgedruis.

Hij probeert een van de halzen te wurgen, maar het voelt aan of hij een rietstengel wurgt. Hij grijpt naar een van de messen die om zijn lichaam drijven – wasem en adem van de aarde – en stoot het lemmer ferm in de kop die hem het meest nabij komt. Ook de hals snijdt hij veiligheidshalve door. Onmiddellijk groeit er een nieuwe kop aan het gevaarte.

Tim plukt een tweede mes uit de lucht, hij onthoofdt een tweede monster, een tweede hoofd ontspruit aan het bloedende halsgat. Hij grijpt het ene na het andere mes en voor de massa beneden moet het nu wel lijken of het koppen regent.

Er ontwikkelt zich een fiere en woedende strijd die waarachtig iets meer verbeeldt dan alleen moordzucht, blikkering van staal en bloed. Het is allemaal zo sacraal, het valt nauwelijks te begrijpen, zo sacraal is het. Door de snelle opeenvolging van afhakken en aangroeien lijkt het of er in het geheel niets wordt afgehakt.

Woedend, woelend, voortwoekerend hangt de kluwen in de lucht, met zichzelf begaan, voor geen derde partij toegankelijk. Een kluwen vol zenen en trossen, blauwe plekken en gutsende fonteinen. Tim verbeeldt zich dat hij vuur spuugt en daarmee de wonden op zijn eigen lichaam en op dat van de monsters dichtschroeit. Alles is nu bezwering geworden.

Zijn gebrul, zijn messen en zijn vuurspuwertalenten verenigen zich tot een tovenaarsgebaar. De onderdrukking door een blik, een sterke gedachte, een wil, het is Tim op zijn best.

Snel wordt een resultaat zichtbaar. Een eerste hals valt machteloos terug, een tweede hals groeit niet meer aan. Boven Tim wordt een gordijn voor de zon weggerukt, met het gelaat van een kreeft toont de zon zich en brandt alles plat wat zich van de aarde durft te verheffen. Tim denkt dat het gebeurt door zijn bezwerende kracht. Met nietsontziende scharen slaat de zon in het rond en er blijven ten slotte maar weinig koppen over. Op een piek in de verte klapt een deur los, scharnieren kraken en een enorme zak vol wind wordt losgelaten.

Tim siddert en de laatste koppen sidderen mee. Als tengere grassprietjes worden ze door elkaar geschud. Tengere grassprietjes zijn ontroerend om te zien en mogen op geen voorwaarde worden uitgeroeid. Ze mogen nooit worden uitgeroeid. Bijna heeft Tim spijt van zijn bezweringskracht en zijn vermogen om in noodsituaties een beslissende list te verzinnen. Zoveel resultaten tegelijk, het had minder en langzamer gekund. Eén kop toont zich nog hardnekkig en schijnt ongevoelig te zijn voor de bezweringen die Tim zichzelf heeft toegedacht. De kop wijkt niet voor het felste licht en het grootste waaien.

Tim is vertrouwd met het openvouwen van de zon en met de wind die duistere krachten terug naar hun hok jaagt, dus hij heeft niet eens door dat het tweetal hem te hulp is geschoten. De windgod voor wie ritme en muziek alles is knipoogt naar de zon. Tim heeft alleen oog voor de aanwezigheid van de laatste kop, een kop met onvermurwbare blik en tartende grijns, een vijand die naar verbrand hout en stookolie ruikt en die schittert in de zon met alle kleuren van een pauwendos.

Mijn grijns is tartender, denkt Tim. Mijn oog is strenger en vernietigender. Maar ik moet zuinig zijn op mijn vijand, ik moet deze ene laatste kop bewaren en koesteren. Ik moet lieflijk lachen, denkt Tim, ik moet hem aanzien met de zachtmoedigheid van een lam. Vervolgens stort, met een niet te harden kreet, ook de laatste kop ter aarde, oplossend in de menigte, verschrompelend tot een dwerg, zich omvormend tot zijn abstracte tegenhanger.

De onoverwinnelijkheid zelf lijkt geveld, het oergevaar bedwongen. Dan kan ik net zo goed de held zijn, denkt Tim. Dan kan ik nu net zo goed uitgaan en verkondigen dat mijn recept tot deze triomf heeft geleid. Ik heb een blik waar geen kracht iets tegen vermag, een grijns die werelden breekt.

Y

HET LUKT PRACHTIG, Tim, al heb je de mensen weinig geholpen. Dat moet over, dat kan beter. Je bent te snel tevreden
met jezelf, je houdt er te weinig rekening mee dat je nog maar
net bent begonnen. Ik wil dat je voortmaakt. Ik wil dat je je
ontwikkelt. Of ik al een beetje bang voor je ben? Als dat zo
was zou ik het niet durven toegeven. Ze hebben je ontdekt,
dat is zeker. Op naar je volgende werk.

Tim schrikt als hij zich bedenkt dat hij haar eigenlijk wil verslinden. Is dat liefde? Is liefde geen vorm van goedaardige
aantrekkingskracht, van milde chemie, zoals wordt beweerd,
maar juist een travestie van vraatzucht, een methode om zo
goed en zo kwaad als het gaat de heimelijke wens een ander
op te peuzelen in redelijke banen te leiden? Is liefde het verlangen naar moord?

Het staat vast, denkt Tim geschrokken, dat moord de ideale
manier is een ander op de knieën te dwingen, volkomen te be-
zitten, te doordringen van je aanwezigheid. Hij blijft een tijd-
lang bevangen door een lichte verbijstering, als iemand die
nog niet van de schrik is bekomen en allang niet meer weet
waarvan hij precies is geschrokken. De gedachte dat hij haar
zou kunnen opeten vervult hem met een wrang en zoet gevoel
tegelijk.

Ik kan niet ongemerkt voorbijgaan, denkt Tim. En toch kan ik niet ongemerkt voorbijgaan. Ik moet zorgen dat ze zich mij herinnert. Ergens, diep in haar binnenste, moet ze zich mij herinneren. Het zou onrechtvaardig zijn als ik in haar leven een al bij voorbaat vergeten schim was. Ze is zo tenger en teer, ik kan haar niets aandoen. Iets moet ik haar aandoen, iets.

Hoe heeft hij haar ooit ontmoet? Hij herinnert het zich niet, hij graaft vergeefs in zijn geheugen, hij weet alleen dat het onder een gouden baldakijn moet zijn geweest, en al was het in de hel of in een van slijk vergeven achterafstraat, hij heeft haar ontmoet onder een gouden baldakijn, onder een stralend en blinkend gesternte in een uiteenspattende vuurbol. Tim hoort van nature bij de spotters en de aanklagers, maar op dit ogenblik valt er bij hem niets van spot of een aanklacht te bespeuren. Ze is verheven boven spot en als er al aangeklaagd moet worden dan zijn het degenen die haar schamelheid wilden misbruiken of haar schuwe optreden belachelijk wilden maken. Ze is een uitgelezen mikpunt voor spot, zo schuw en onmededeelzaam is ze, maar Tim wil er ditmaal niets van weten, hij is een en al aanbidding. Over zulke stemmingen en buien hebben stervelingen geen zeggenschap.

Er gaat een luik in zijn geheugen open, een gewatteerd luik met fluwelen hengsels. Ik zag hoe je kwam aanlopen, denkt Tim, en ik zag meteen hoe bijzonder het was. Van dat eerste moment tot nu heb ik dat eerste moment in gedachten herhaald. In een grote hal gebeurde het, een hal die leek op een hangar of de aankomsthal van een vliegveld. De stemmen klonken er blikkerig en het geluid van de voetstappen werd honderdvoudig versterkt. Zo klein was je en hoe gek het ook klinkt, je kwam dichterbij en dichterbij en bleef even klein.

Het was alweer een week later toen ik een hiermee verwante ervaring beleefde. Ditmaal kwam je aanlopen van een kiezelpad, niet meer dan een meter of tien scheidde ons, en je werd kleiner toen je op me afkwam, alsof het gebrek aan afstand je dwong te krimpen. Ook toen leek je te zweven en dansten je haren. Een weerbarstige lok sprong op en viel met vertraagde zwaai terug in haar oorspronkelijke stand, je stappen dreunden in de oneindigheid en je wilde maar niet groter worden, je wilde niet groeien, je wilde dat ik je kon blijven zien in je brede omlijsting, in de omkadering van passagiers en coniferen.

Je was een vrouw zonder slepende tred, zonder vermoeide borsten, zonder cynische ervaring. De passagiers in de vliegtuighal en de coniferen aan de rand van het kiezelpad tollen nu in mijn geheugen rond, ze tollen en tollen en hangen op hun kop, alleen jij blijft overeind, klein en aanstappend, aanstappend en klein, de slaaf van een dansende lok.

In elke gestolde seconde, denkt Tim, van deze gestolde eeuwigheid heb ik geweten wat liefde was. In het dagelijks leven weet ik niets. Tussen de menigte die beweegt en de wereld die voortholt heb ik nergens benul van. Zodra anderen over liefde beginnen bevries ik. Nu iemand zo gering is en bijna onaanraakbaar verbrand ik van liefde.

Nooit heb ik zoveel gemijmerd, denkt Tim. Ik, die een man van de daad ben, ik die zou moeten rennen, veroveren en liefkozen desnoods, ik droom van liefkozingen. Misschien ben ik niet eens verliefd, misschien droom ik alleen van liefde. Er schuilt een wijs man in me, maar ik heb hem sinds lang niet gezien.

Misschien is dromen van liefde verschrikkelijker dan de liefde zelf. Dromen van liefkozingen, geef toe, op die manier gaat de liefde nooit over en wordt ze erger en erger. Ik droom van de stip die ze is en ze wordt een stip die hallen en tuinen vult. Ik ben een man zonder handelingen geworden en het interesseert me niet hoe lang ik daar vrede mee zal hebben.

Zul je ooit weten, mijmert Tim, hoe lief ik je had sedert het moment dat ik je voor het eerst zag opdoemen? Zul je ooit beseffen hoe verterend, hoe hopeloos mijn begeerte was? Of geen begeerte – aanbidding, beschamende aanbidding, een neerwerpen van mezelf in het diepste stof. Ik wilde in je oplossen, ik benijdde je lach en je lok, ik haatte je vanwege je aanwezigheid buiten mij om, je zelfstandigheid stoorde me, je bewegingen zelf deden afbreuk aan de volledigheid van mijn begeerte naar je. Ik had je meteen moeten doodslaan, maar je was te nietig. Te vertederend door je formaat en door je gewichtloze tred.

Door mezelf te zijn doordring ik je al volledig van mijn aanwezigheid, denkt Tim. Ik, de reusachtige Tim, en jij, zo nietig en vertederend.

Als Tim haar aankijkt krijgt hij onmiddellijk het idee dat hij haar verplettert. Als hij haar wil aanraken trekt hij snel zijn arm terug, bevreesd haar te verwonden. Hij zou zich klein willen maken voor haar. Werd hij zelf maar een stip, een ranke nietswaardigheid.

O, niemand te zijn. O, het verlangen naar krimpen en zwijgen, naar bewegingloosheid. Hij bloedt al als hij zijn naam moet noemen. Hij zou in zichzelf gekeerd willen leven, opgerold, onzichtbaar, want ieder contact doet hem pijn. Iemand te moeten zijn, het voelt als een besmetting. Een bloem wil hij zijn die zich schielijk dichtvouwt als iemand er naar wijst.

Overstelp me met schuchterheid. Verleen me de gave van het ineenkrimpen, het oplossen in ijlheid en nevel. Vertel het niemand dat ik niemand wil zijn. Vertel het niemand dat ik niemand ben. Alles wat aan me beweegt en scharniert, alles wat lomp en stoffelijk aanwezig is, streeft ernaar te verdwijnen.

Waarom zou iemands kern iets zwaars en gewichtigs moeten zijn, waarom niet vederlicht? Waarom zou het niets en het niemendal niet iemands ware wezen betekenen?

Tim probeert zich innig te concentreren op zijn afwezigheid. Hij verbeeldt zich dat hij zich klein maakt en al verbeeldend verbeeldt hij zich dat het hem lukt zich klein te maken. Het lijkt, als hij zo bezig is, of alles om hem draait, of hij het middelpunt van alles is. Niet alleen hemzelf komt het zo voor, ook anderen moeten, als ze hem zouden horen, wel denken dat in zijn hoofd alles om hem draait.

In feite draait niets om hem, want er is geen kern, hij zoekt vertwijfeld naar enig houvast. Hoe kan iets om een middelpunt draaien dat er niet is? Het is verspilde moeite te dromen van afwezigheid, de droom is al een realiteit. Maar dan – hoe kan afwezigheid een realiteit zijn? Is hij er in zo'n geval niet toch een beetje? Een minuscule luis is hij in de pels van een pas geboren kat, een stofje dat in de plint niet wil toegeven aan de stofzuiger. Een opgerolde egel in de melkweg.

Hij moet tenslotte over enige substantie blijven beschikken om in haar dienst te kunnen staan. Hij wil haar eren, sparen, bijstaan, beminnen – daarvoor moet hij toch iets zijn. Toen hij haar voor het eerst zag, hij weet niet of het wel in een hal was, sloeg de verlamming toe, het was letterlijk het toeslaan van een verlamming geweest, de klap van een verdoving, want toen hij haar voor het eerst zag veranderde er tegelijkertijd iets aan de tijd en de ruimte, zij zweefde langzaam naar hem toe om hem nooit te bereiken en de hal – het was toch duidelijk een hal geweest – vervloeide tot louter omkadering. De ruimte zelf getuigde van een massieve dienstbaarheid.

Nee, hij mag dit gesol met tijd en ruimte niet toelaten, hij mag zichzelf gering wanen en een zekere verdwijning toestaan, maar hij moet blijven vechten tegen de volledige verlamming. Hij moet in staat blijven haar te liefkozen. Hij moet een substantie, hoe gering ook, overhouden om haar aan te raken, een drift die zijn aanbidding in toom houdt.

Tim raakt haar aan. Hij is zijn angst om haar te beschadigen kwijt, al gaat hij behoedzaam te werk. Hij raakt haar borsten aan en laat zijn vingers naar beneden glijden, naar haar middel, waar hij naar rechts gaat en naar links, alles dansend en speels, uiterst dansend en speels. Haar borsten zijn klein en toch verrassend fors voor haar broodmagere lijf. Als een met ribben geringd geval van niets voelt ze aan, het kloppen van haar hart is duidelijk zichtbaar, nooit is ze zo dicht bij hem geweest. Haar eigenaardig grote ogen smeken hem dat het nu snel moet gebeuren.

Ze verlangt naar hem, denkt Tim. Zou het waar zijn dat ze naar mij verlangt? Het duizelt hem in de laatste resten van zijn verstand. Hij vouwt zijn handen open en plaatst ze vol om haar naakte lijf. Dit is het moment waarvan hij heeft gedroomd, alle dagen, alle jaren, alle eeuwen sinds hij haar voor het eerst zag. Hij voelt zich tegelijk erg groot en harig geworden. Hij brengt zijn mond naar de hare en aarzelt.

Dan wrijft hij zijn handen langs haar lichaam tot ze tintelen, hij tolt haar om haar as, hij duwt zijn tong tussen haar streepvormige lippen en perst zijn onderlijf tegen haar schoot. Je kwam aanlopen, denkt Tim, onvergelijkelijk kwam je aanlopen, met een dansende lok en een glimlach die ik niet kon bevatten, en nu ben je van top tot teen binnengelopen, aangekomen in mijn lichaam, samengevallen met het niets en het alles dat ik nu ben. Nooit heb ik van iemand zo gehouden. Ik mag mezelf niet helemaal verliezen, niet omdat ik van mezelf houd, ik heb nooit van mezelf gehouden, ik zweer het, er is niets in me dat nog van mezelf houdt, ik heb juist trek om mezelf uit te kotsen, ik mag me alleen niet compleet verliezen omdat er dan niets resteert om mee te beseffen dat ik nooit van iemand zo hield. Ik ben er, ik ben er uitsluitend voor jou. Ik koester een belachelijke, absurde liefde voor je.

Zijn lichaam bonkt tegen het hare, hij voelt hoe zijn lid langzaam in haar schuift, het is of hij een wilde vloed tot bedaren moet brengen en of er ribben breken. Als de naald die hij met zijn rechterhand van de grond oppakt voor het eerst haar lichaam binnendringt moet hij een lichte druk uitoefenen en nog één keer daarna voelt hij een lichte hindernis, het moet een pees zijn geweest of een bot, de naald ondervindt nauwelijks tegenwerking en de hindernis wordt met een schurend, slurpend geluid genomen, waarna hij de lange naald gemakkelijk en in één beweging doorschuift, haar hart in.

Hij ondergaat de verbaasde blik in haar ogen, op haar lippen observeert hij de schreeuw die ze niet kan uitbrengen, hij neemt waar hoe haar nek achteroverbuigt en hoe ze met een knik sterft. Ze is veel sneller dood dan hij had gedacht.

♐

OVERWINNING OP OVERWINNING, Tim, hoe voelt dat? Toch
zijn het maar bedavonturen, intimiteiten van de achterkamer
en de binnenzak, en heeft de mensheid er geen weet van. Onsterfelijkheid moet worden waargenomen. Jezelf vermom-
men, ergens onopvallend plaatsnemen in een tableau vivant,
zaniken over afwezigheid of bijna-afwezigheid, het mogen
jouw manieren zijn om de mensen zand in de ogen te strooi-
en, Tim, en vast en zeker beschouw je die eigenschappen zelf
als je sterkste punten, maar hoe *registreer* je afwezigheid? Be-
geef je alsjeblieft weer onder de mensen, voer je komedie op
en vergeet het publiek niet.

Hoera! Hij is door het dolle heen. Alleen, er valt niets te be-
leven. Dagenlang zit hij over het sneeuwveld te loeren en het
blijft doods en stil. Af en toe dagen er nevelbanken op, maar
het komen aandrijven en wegtrekken van mist kan hij moeilijk avontuurlijk noemen. Hij mag enkel loeren, met ogen die
dof dreigen te worden, en als er mist hangt kan hij zich zelfs
de moeite van het loeren besparen.

Er is niemand op de wereld behalve hij.

En behalve de cameraman. Tim weet niet wat er in de omgeving te filmen valt, maar goddank is er de cameraman.

Hij en de cameraman, het zou voldoende moeten zijn, alleen de wereld moet er wel bij bewegen. Er dient iets anders op te doemen dan mist, er dient rumoer te zijn en publiek. De dofheid moet uit de blik verdwijnen. Er moet iets te strelen, te raken of onder schot te houden zijn. Tim draagt weer eens een pijlenkoker op de rug. Hij haalt diep adem. Is zijn geest soms niet sterk genoeg?

Nu moet je opletten, zegt Tim tot de cameraman. En die ziet het ook. Een kleine stofwolk verschijnt aan de einder, een stofwolk die groter en groter wordt al blijft de einder oneindig, als in een Russische film uit de revolutie. Er klinkt onmiddellijk gestampvoet en gedreun, alsof een vervaarlijk leger van kozakken of mongolen in aantocht is. Een indrukwekkende dreiging hangt in de lucht, al zie je nagenoeg niets.

De stofpluimen groeien gewoon te snel, het gedreun zwelt te hevig en te mechanisch aan. Langzaam maar zeker wordt tussen de rook iets zichtbaar, een afzonderlijke gestalte, pluimen die identificeerbaar blijken. Paarden en krijgers door elkaar zijn het, onbemande woestijnvaartuigen, stokpaarden geheten. Een leger van houten stokpaarden komt op Tim toegedraafd, paarden zonder schilden, zonder vaandels, zonder speren, gewoon manshoge, gefiguurzaagde stokpaarden, bont en bruin beschilderd met af en toe een schimmel ertussen. Ze draven onhandig en schokkerig, maar door hun aantal en onbestuurbaarheid is de indruk die ze maken bedreigend genoeg. Uit flarden mist duiken ze op, donker en zonder schaduw, silhouetten die door vlijtige kinderhanden zijn uitgeknipt in de sneeuw.

Tim schiet een paar pijlen af op de paarden uit de voorhoede. Ze steigeren en tuimelen zijdelings ter aarde. Als balancerende platvissen kieperen ze om, koorddansers zonder koord. De pijlen trillen na in het houten beschot van hun lijf. Nog meer stokpaarden vallen om. De horizon raakt gevuld met paarden. Ze proberen hun armen omhoog te steken, zodat Tim zal zien dat ze zich overgeven, maar ze hebben geen armen, dus Tim ziet niet dat ze zich overgeven. Ze worden een voor een door zijn pijlen geraakt en storten op hetzelfde moment neer. Zo giftig zijn al zijn pijlen.

Het gaat om die ene, zegt Tim tot de cameraman. Het gaat altijd om die ene, al zijn er duizenden die voordringen, duizenden die zich op de borst kloppen en voor hoofdkandidaat willen spelen. Als ik maar weet wie ik op het oog heb, zegt Tim. En hij legt nog een paar stokpaarden om.

Daar komt hij, zegt Tim. Geflankeerd door nieuwe paarden duikt een stekelig zwijn op, met harde haren en één oog. Misschien bezit het twee ogen, of zelfs drie, vier, maar de overheersende indruk is dat het over maar één oog beschikt, cycloopachtig midden op zijn kop. Het wilde zwijn is dikker en groter en dreigender dan het grootste paard, het domineert het legioen, het vangt met zijn ene oog automatisch het oog van de camera. Omgekeerd voelt zich de camera alleen nog aangetrokken tot het zwijn. Twee nieuwsgierigen die om elkaar heen dansen op een besneeuwde vlakte. Als het zwijn honderd ogen had gehad waren er honderd camera's geweest.

Terwijl de camera snort blijft Tim zijn pijlen afschieten. Voor hij het zwijn pakt, het zwijn dat tenslotte de apotheose vormt, oefent hij nog een beetje op de stokpaarden. Tim heeft het pijlschieten vandaag goed te pakken. Elk schot is raak. Hij beschikt uitsluitend over dodelijke pijlen.

Even later loopt Tim rond met het zwijn om zijn hals, met een harig zwijn als bontkraag.

Mensen die de opgenomen beelden terugzien, in een veel later tijd, zullen in de waan verkeren dat alle houten speelgoedbeesten nog altijd gewoon overeind staan, keurig in de sneeuw geplant. Het zal zelfs lijken of sommige stokpaarden in handen klappen die ze niet hebben. De cameraman zelf zal nergens te zien zijn. Maar als de cameraman er niet was geweest had niemand geweten van het nieuwe wapenfeit van Tim.

TIM IS NIET iemand voor wie de tijd nu rijp is, de tijd valt alleen te begrijpen als iets waarvoor Tim rijp is. Hij kan dames betoveren, menigten in bedwang houden, demonen en stokpaarden vellen, lenzen met een waas bedekken. Nu is hij rijp voor hogere taken. De stal moet worden uitgemest. Ik volg je, Tim, ik volg je.

Tim staat op het punt zichzelf iets voor te nemen. Een goed voornemen, het wordt de hoogste tijd. Een goed voornemen is een heilig voornemen, hij is vast van plan er een eed op te zweren. Het zal zijn eerste en enige eed zijn. Nu moet ik proberen te doen of ik een verlosser ben en de mensheid wil redden. Niets minder dan de hele mensheid. Nu moet de hele komedie ten einde worden opgevoerd.

Nu moet ik mijn best doen geen kleine zaakjes aan te pakken, me niet laten verleiden door particuliere gevallen en bijzaken die in de versukkeling zijn geraakt en die dringend mijn hete adem en forse arm nodig hebben, nee, nu moet het fundamenteel en allesomvattend zijn. Nu moet er iets gebeuren. Iets waardoor ik voor altijd in de annalen van de gedenkwaardige personen zal worden ingeschreven en waarmee me ik mezelf een mythologisch aanzien en een charisma verleen.

Ik moet uit het schimmenrijk vandaan, ik ben van vlees en bloed, ik ben de waarheid en de overredingskracht, ik moet en mag niet langer iemand zijn die alleen zichzelf moed inspreekt. Ik wil nu ook anderen bezweren. Ik hoef niet langer overtuigd te worden, ik kan de wereld aan, ik ben onmisbaar. Ik ben de spil van de wereld.

Gelukkig is voor iedereen duidelijk, net in de periode dat Tim dit bij zichzelf overweegt, dat de wereld vervuild is geraakt. De wereld, dat wil zeggen de stad met haar portieken, haar viaducten en rotondes. De rioleringen kunnen de toestroom niet langer aan en al besprenkelen de stadbewoners zich onophoudelijk, ze bewerkstelligen weinig meer dan dat ze de ene stank verjagen met de andere. De kritische grens is bereikt.

Het begon met iemand die luidop beweerde dat het op de hoek van zekere straat niet lekker rook. Een journalist ving de woorden op en rapporteerde erover in de krant. Er volgden twee ingezonden brieven. Eén van de brievenschrijvers beweerde dat de man loog en de andere wees erop dat het juist op die hoek altijd extra lekker rook. Daarna bleef het een poos stil.

Enkele weken later werden in de buurt van dezelfde straathoek enkele mensen bewusteloos het wijkbureau van politie binnengedragen. Een arts constateerde gasvergiftiging. Ook deze gebeurtenis bereikte de krant. Er volgden geen ingezonden brieven. Wel stelde een hoofdartikelenschrijver in enkele deftige zinnen dat de krant het stadsbestuur al jaren had gewaarschuwd voor de gevolgen van achterstallig onderhoud.

Wat de krant niet vermeldde was dat de slachtoffers die bewusteloos waren binnengedragen na hun reanimatie hadden verklaard weliswaar iets vreemds te hebben geroken, maar geen gas. Eerder een lucht van afval, van bederf. Het aantal klachten over de geur van rottenis nam toe, alsmede het aantal mensen dat buiten bewustzijn op het trottoir werd aangetroffen. Het lokte in de pers geen enkel commentaar meer uit. Men was er blijkbaar aan gewend geraakt. Geluk went, tegenslag ook. Alles went, vrede en voorspoed en strontlucht. Nieuwtjes zijn al oud nieuws geworden voor ze zijn voorgevallen.

Het bleef snel al niet meer bij die ene straathoek. De meldingen van vreemde voorvallen kwamen na nog een paar weken uit alle delen van de stad. Voorvallen van passanten die plotseling onwel waren geworden, van penetrante geuren, van golven zwavel die kwamen aanzwellen, of de muil van de hel was geopend, en dan weer verdwenen.

De stank hing overal, maar de stank was onachterhaalbaar. Ze bestond evenmin als de muil van de hel en toch bleven de klachten binnenstromen. Wie niets te klagen had stopte zijn oren dicht voor andermans klachten. Stinkend vervolgde het stadsleven zijn loop.

Zelfs uit de journalisten en de kranten steeg af en toe een zure lucht op, maar door de algehele zuurgraad viel het nauwelijks op. Nergens wekte het de geringste verwondering. Het aantal klachten daalde tot nul. Langzaam maar zeker begon het erop te lijken dat iedereen deel was gaan uitmaken van de stank. De stank was in de mensen gevaren en de mensen in de stank. Ongemerkt was het zover.

Aanvankelijk kwamen en verdwenen de zwavelbellen nog. Of er een voorhoede heeft bestaan of dat het op een gezamenlijk wilsbesluit berustte, niemand kon het nog achterhalen, maar op een dag hadden de zwavelbellen besloten te blijven. Ze vestigden zich boven de grond en namen gestaltes aan, allerlei gestaltes, toevallig de gestaltes waarin ook de mensen zich manifesteerden.

Er was niet één stankbel dezelfde en toch vertoonden ze onderling grote verwantschap. Homunculi waren de stankbellen geworden, dwergen, een verkleinde spiegelwereld van wat er al rondliep en zich ooit had beklaagd. Oeroude tijden leken plotseling teruggekeerd, de tijden waarin nog klachten werden vernomen, de tijden van traditionele ballast, maar ineens leek ook iedereen weer aan de nieuwe situatie gewend. Hoe kan het anders als je niet langer het verschil ziet of ruikt tussen jezelf en je gashoudende lachspiegelbeeld?

Waarop hadden de klachten in vredesnaam ooit betrekking gehad? Met de definitieve vestiging bovengronds van de stank leek de geschiedenis uit het blikveld weggedrukt. De geschiedenis was één grote, geplette hoop afval die sprekend leek op het vierkante blok staal aan de magnetische grijper op een autokerkhof, op het punt definitief te worden weggesmakt.

De stinkende gestalten versmolten met elkaar om imposanter te lijken – drek trekt drek aan – en de van vroeger overgeërfde mensen krompen of bukten zich uit schaamte, zodat er weldra geen onderscheid meer bestond tussen alle op straat dansende, jubelende, nooit klagende gestalten. Het versmelten ging de eersten gemakkelijk af en het krimpen kostte de laatsten geen moeite, zodat de vreugde des te groter leek. De tegenstelling tussen het vuil en de aanstichter van vuil of tussen het vuil en het slachtoffer van vuil was opgeheven.

In een huis op de hoek waar de eerste en toen nog hinderlijke geuren werden waargenomen hielp een gebochelde man een dame in haar jas. De dame was duidelijk jonger dan de man, maar haar gelaat was al vuilgeel, te dof en te gerimpeld voor haar jaren. Met zijn rood dooraderde vingers, waarop kleine, zwamachtige wratten te zien waren, sloeg hij een paar witte pluisjes van haar kraag. De muur van het treurige, schaars verlichte overloopje waar ze afscheid namen was beplakt met rode harten en glittersterren.

In de bovenkamer hadden ze de liefde bedreven, maar geen van beiden leek er zich iets van te herinneren. Ze hadden de liefde bedreven met brede uithalen, in traag tempo, tijd en lust rekkend tot uiteindelijk een dubbele, dierlijke kreet ze uit hun bankring bevrijdde, een kreet die verloren ging in de gecapitonneerde bekleding van de muren, maar nu stonden hun monden sip en stil, met dunne, betekenisloze lippen waaraan niemand het vermogen om geluid voort te brengen zou durven toeschrijven.

De man en de vrouw herinnerden zich niet ooit een kreet te hebben geslaakt. Ze zwegen zoals ze altijd hadden gezwegen. Zijn halfvergane hand sloeg nog een laatste pluisje weg uit haar al even halfvergane bontkraag, vol glimmende plekken en in elkaar verwarde haren, en samen verlieten ze met onhoorbare voetstappen het huis, nadat ze met drie achteloze sprongen over een dode kat, een opgerold kleedje, doordrenkt en slap, en een beschimmelde kindertol waren gestapt. Vervolgens sloegen ze elk een tegengestelde richting in, verdwijnend in de drukte.

In de gecapitonneerde kamer waren in het gepolijste snijvlak van een mes dat op de grond lag nog bewegende flitsen te zien, alsof het geheugen van de mensen was overgegaan in het mes. In miniatuurvorm stond de kamer, met de ijzeren bedspijlen, de gewatteerde wanden en de zwaaiende plafondlamp gegrift in het lemmer, tot ook daar de flitsen en schichten doofden.

Op straat leken de viaducten in aantal te zijn toegenomen en de gevelwanden hoger dan ooit. Achter sommige vensters zaten oude mensen kwaad naar buiten te kijken. Hun monden stonden wijdopen en ze hadden, alsof het een laatste inspanning betrof, een verkrampte houding in hun schouders gelegd. Ze waren niet kwaad, al keken ze kwaad. Onberoerd en onaangedaan door het kabaal in de tunnelvormige straten keken ze naar een wereld die voorgoed was verdwenen en alleen nog in hun gedachten voorbijzweefde.

Het kabaal stoorde overigens ook de gestalten die zich op straat voortbewogen niet. De geluiden waren samen met de geuren opgenomen in een eenheidsdecor, iedereen onderging dezelfde snerpende gillen en dezelfde stank, dus niemand onderging iets bijzonders. Een sensatieloze sensatie hing in de lucht, door de straten daverde het zonder gedruis. De neusgaten van de voorbijgangers stonden wijdopen, men snoof en ademde dat het een lieve lust was.

Er was een groot feest gaande zonder dat er iets te vieren was. De triomf van het vuil werd in het zonnetje gezet, de apotheose van de smerigheid. Het was alweer een poos geleden dat men de zon zelf voor het laatst had waargenomen en nu was ook elk spoor van een hemeldak verdwenen. De dampkring was tot een minimum teruggebracht en de benedenwereld was op zichzelf aangewezen.

Een redding van boven of een uitweg naar boven, ze bestonden niet langer. Dat voorbijgangers elkaar aanklampten of met een ferme uithaal neersloegen onder stortregens van licht behoorde voorgoed tot de verleden tijd. Het was bedompt en loodgrijs en ze leken als babykangoeroes van buidel naar buidel te springen, gedurende het grootste deel van de tijd onzichtbaar en dan weer zo intens aanwezig dat het schrik en ontsteltenis teweegbracht.

Alles begon langzamerhand, hoewel dus voor iedereen onnaspeurbaar, naar drek te ruiken en onopgemerkt op drek te lijken. De marmeren platen van het plaveisel waren dezelfde niet meer, mensen van nu die zich over het plaveisel spoedden leken in niets op de mensen van gisteren. Een groene uitslag had zich op het marmer genesteld en ook de mensen waren niet in hun voordeel verkleurd. In het marmer waren scheuren zichtbaar geworden, leidingen lagen losgewoeld en verrotte kabels liepen van nergens naar nergens.

Niemand scheen het te storen dat overal drollen lagen, kinderdrollen en grotemensendrollen die, vooral als het enige tijd had geregend, de paarlemoeren schijn van mosselschelpen aannamen. De mensen verschoonden zich niet langer, zo leek het wel, ook mannen, vrouwen en kinderen gingen gehuld in één en al rafel en sommigen hadden nog nauwelijks kleren aan. Ze liepen door en langs elkaar heen alsof ze lucht voor elkaar waren en ook van oogcontact was geen sprake.

Als ze met elkaar wilden praten of iemands hand of huid wilden aanraken, doken ze grote hangars binnen waar het bijna nacht was en de muziek de muren liet trillen. Rondom een dansvloer waar het bliksemde en weerlichtte waren op draaiplateaus toonbanken geplaatst, stervormig uitwaaierend naar alle windstreken, waaraan pukkelige hoerenjongens en vale prostituees in ijltempo hun drankjes naar binnen werkten. Uit ontluchtingsgaten hoog achter de toonbanken dwarrelden duivenveren naar binnen. Hier en daar werd luid gescholden maar het werd nooit duidelijk op wie de scheldwoorden betrekking hadden. Men was boos om de boosheid zelf.

Het waren de gloriedagen van de onbenullen, de kleine talenten, de rancuneuzen en de opportunisten die hun kans roken en riepen: 'Nu zijn wij aan de beurt!' Het was van geen belang wat ze riepen, als het maar vernietigend klonk, en ze grepen om het even welke kans. Nooit was de marktwaarde zo hoog geweest van jongens die onbenullig en geil waren.

Een van de hoerenjongens sloeg knipperend met zijn wimpers elektrische vonken uit de lucht, terwijl hij dronk van een duur, maar ondefinieerbaar mengsel van kokosmelk en opgehoest maagzuur dat hem op de vraag wat voor consumptie hij beliefde door een bewonderaar was voorgezet, zonder dat hij precies wist wat hij had beliefd. De naam van het drankje had mooi en exotisch geklonken.

De bewonderaar probeerde de jongen te kussen, in de ogen van de jongen vlamden visioenen op van Ferrari's, met blauw water gevulde zwembaden, rijdende huisbars met drieliterflessen van het zojuist beliefde drankje en een rond bed met honderden kussens en volop mogelijkheden andere lichamen dan dat van de bewonderaar te ontvangen. Dat alles stond in één keer in de ogen van de pukkelige jongen te lezen en vervolgens schoven ze op hun draaivloer weg, om plaats te maken voor een bijna identiek tweetal.

Iedereen was moe en elk tafereel was al talloze malen herhaald. Op straat rende en schreeuwde en gebaarde iedereen, er werd gedanst in kringen en lange rijen, reidansen en polonaises, iedereen leek van leven vervuld en toch bood het de aanblik van een kerkhof, een optocht en een gekrioel van beklede skeletten, van mensen die renden en schreeuwden, gebaarden en dansten zonder te weten dat ze dood waren, omdat de een zich niets aantrok van de ander en blikken, zoenen en handdrukken niet werden gewisseld.

Mensen die zich zojuist in de hangars hadden overgegeven aan een snelle paring, een hitsige annexatie van andermans huid, spieren en ingewanden, deden of ze elkaar nooit hadden ontmoet of ooit zouden willen ontmoeten, naar figuren die verdwaald, vertrapt, bezeerd raakten werd niet omgekeken, wie omviel werd niet opgeraapt. Het was één groot feest van een op eeltvoeten hinkende, met losgeschoten knieschijven tollende, op omzwachtelde voeten trappelende menigte op een galgenveld. Dranghekken, glasscherven en versplinterd puin waren de enige barrières die de vaart nog remden.

Wie 's nachts, koortsachtig verlangend naar een moment van slaap, in zijn stapelbeddenzaal uit de brits boven zijn hoofd een paar benen zag bungelen, benen van een vermoeide die de slaap eveneens niet kon vatten en, overeind gekropen, verdwaasd zijn bovenlijf heen en weer liet wiegen, waande zich terug op het galgenveld waar het beeld van bungelende benen aan hoge staken hem vertrouwd was geworden.

Hij kon niet langer vluchten in dromen omdat het leven al overdag een aaneenschakeling leek van droomtaferelen. Slaap werd schaars en de vermoeidheid maakte de bewoners moorddadig. De mannen van de opruimingsdienst kregen moeite het sterftempo bij te houden. Ze gooiden de lijken in ondiepe putten en al na een dag kropen de bleke maden in trossen over de putrand. Dansende voorbijgangers drapeerden de franje die aan hun koperen feesttoeters hing voor hun gezicht zodat ze het trosvormige angstgevaarte niet hoefden te zien. Slierten van guirlandes daalden sierlijk zwevend neer in de putten.

De verbroedering tussen doden en levenden was een feit geworden zonder dat de levenden zich daar bewust van waren. Als ledenpoppen met een eeuwig leven dansten ze voort, als loketbedienden op weg naar hun miljoenste lokethandeling werden ze afgeslacht. Kijk uit, daar spat iets uiteen. Een knal weerklinkt.

Het maakte niet uit of de mensen wegdoken of niet, elke ramp was een rimpeling geworden. Geen mens die iets vermoedde van een verleden, een geschiedenis, boeken en standbeelden waren vage herinneringen geworden en deze of gene, een oudje met knobbeljicht en leepogen, die zich nog iets herinnerde van een literatuur kon nu alleen nog vaag glimlachen om de utopieën die ooit door naïeve schrijvers waren neergepend, toekomstfantasieën waarin mensen door ijzeren instanties werden gecontroleerd of van stap tot stap in de gaten werden gehouden.

Hier werd niemand in de gaten gehouden. Hier was geen enkele instantie die zich bekommerde om de wegen die men insloeg. De controleurs en de gecontroleerden waren identiek.

Kijk uit, daar dendert uit de lucht wat daarnet uiteenspatte. Het regende de laatste tijd opvallend veel dode katten, alsof onder de katten een oorlog was uitgebroken en de volstrekte verwildering een feit was geworden. Overal trof men tegen ijzerdraad van hekken gespalkte katten aan en uiteengespatte kattendelen in paraboolantennes, wegversperringskettingen en verlichtingsbakken.

De indruk kon gemakkelijk worden gewekt dat op zeker uur alle katten van de wereld tot één kat waren versmolten die vervolgens met een knal tot ontploffing was gekomen. Hier lag een deel van een bek, met de krampachtige grijns nog zichtbaar, daar lag een achterlijf, gestold in een laatste agressieve sprong. Men waande zich in het rijk van de kattenslachter.

Hoe het ontstond kon niemand zeggen, maar eerst was er één klacht, daarna al snel meer en na enkele dagen regende het werkelijk klachten. Bij de kranten werd geklaagd, bij de wachtposten, men deed zijn beklag per telefoon en voor de camera. Misschien dat ook gewenning went of dat er voor de hoeveelheden die een sterveling kan ontkennen een drempel bestaat, maar het blijft iets eigenaardigs dat nauwelijks te verklaren valt. De klachten betroffen de stank.

Op zekere hoek van zekere straat rook het niet lekker, klaagde iemand, en de klachten breidden zich als een octopus over de stad uit. De bewuste klager – wie? – had uitgevonden

– hoe? – dat hij bijval oogstte door voorzichtig zijn neus dicht te knijpen en hij moet reminiscenties hebben opgeroepen aan een lang verdrongen en node gemist gebaar.

Er werden mensen nagewezen die niet lekker roken, eerst nog specifieke mensen, mensen van wie men kon aannemen dat ze een naam en een identiteitsbewijs bezaten, maar al snel ook zomaar mensen, mensen van wie men volhield dat ze spontaan een mestgeur waren begonnen te verspreiden, zomaar in het voorbijgaan, een weeë geur van vuil en drek. Mensen die ontkenden dat ze ooit stinkers waren geweest en die hun eigen stank niet langer roken wezen andere mensen als stinkers aan. Sommigen knepen zelfs theatraal hun neus dicht of liepen rond met een gezicht waarop walging stond te lezen over zoveel ongewenste smerige lucht.

Vanuit de algehele vervuiling begonnen sommigen plotseling schuldigen aan te wijzen die als het ware extra vervuild waren. Het werd snel een gezelschapspel. Er was van de ene dag op de andere een nieuwe notie van vuil ontstaan op de vuilnishoop en niemand kon erop rekenen dat hij niet de volgende zou zijn die zou worden nagewezen. Wie zich schoon waande, met een ziel om er de kraakhelderste mee te verblinden, was morgen misschien een vuil element.

De inhoud van de duurste parfumfles kon zich als extract van schimmel en diarree ontpoppen, geen mens die het kon voorspellen. Het aantal misgeboorten en schijnzwangerschappen bereikte een piek. Er werd gespoeld en gedoucht als nooit tevoren, er waren voorzichtige types die alleen nog voor het hoognodige hun bad uitkwamen, de waterleidingen zwoegden, de rioleringen persten, stank was in een wereld die pretendeerde nooit aanleg tot stank te hebben bezeten ineens het gesprek van de dag.

De wereld is goed zoals ze is, denkt Tim. Nu kan ik proberen te doen of ik een verlosser ben en of ik de mensheid wil redden. Niets minder dan de hele mensheid. Deze wereld is er om door mij verlost te worden. Hier is eindelijk iets ernstigs aan de hand. Gisteren moest ik nog vrouwen en kinderen in veiligheid brengen, of me bekommeren om een afgeleefd scharminkel, dit is een fundamentele situatie, een eindstation, een onontwarbare knoop.

Tim proeft de smaak van zijn woorden op zijn tong. Ze smaken naar de hemelse, lichte zurigheid van roze fondant, ze smaken naar bruidssuikers vol toekomstverwachting. Tim weet zeker dat het grote moment voor hem is gekomen. Voor minder doet hij het niet, hij ondergaat gulzig de gewijde ernst van het moment.

Gisteren was ik als een hagedis die een spin verslindt, mijmert hij. Nu ben ik een koningsmoordenaar, een tirannenverdelger. Ik hoef mijn diensten niet eens aan te bieden, de wereld smeekt om mij. De wereld is rijp voor een man van mijn kaliber en kunde.

Tim begrijpt dat het zijn taak is de stad en alles wat tot stad is uitgegroeid, met hangars en aanvoerwegen en al, te reinigen van onzuivere elementen. Hij begrijpt dat hij, om dankbaarheid te oogsten, de stank moet uitroeien. Hij moet een einde maken aan de dictatuur van de onzuivere elementen. Het kost hem geen moeite zichzelf wijs te maken dat hij dit als het ware verplicht is aan de zuivere elementen.

Tim weet het zeker. Tim kent uitsluitend logische redeneergangen. Het vuil en de verpletterende vruchtbaarheid die vuil eigen is vormen zijn aartsvijanden. Hij zal de aanstaande schifter worden van het kaf en het koren. Stad en land zal hij bevrijden van vreemde smetten. Onder luid gejuich zal hij de stank weten te lokaliseren zoals een terriër een mergpijp. Hij zal naar niets anders streven dan naar applaus en degenen die hem toejuichen zullen de overwinnaars worden genoemd. Hij zal tot de spreekbuis uitgroeien van allen voor wie de vuile elementen een doorn in het oog zijn.

Het is een magisch moment. De tijd en Tim ontmoeten elkaar. Althans, zo ziet Tim het graag en zo zullen zijn nu nog sluimerende volgelingen het binnenkort allemaal zien. Eerst moeten er daden worden gesteld. Op daden, daarop komt het aan bij Tim. Een eerste daad, dan volgt het overige vanzelf, het applaus en de volgelingen en de magie.

Tim dwaalt door de straten en zoekt naar een manier om een begin te maken met de vuilopruiming. Misschien zal het alleen nog een symbolisch gebaar zijn, het doet er niet toe, de daad duldt geen uitstel, er moet een stemming worden geschapen waarin ze hem als de man van de juiste daad zullen aanwijzen, er moet een algeheel gevoelen worden ontwikkeld dat er een omslag op til is. Tim dwaalt door de corridors, de trappen op en de trappen af, hij dwaalt als een ziener die op gewatteerde sandalen wandelt, ongevoelig voor glassplinters, scheuren in het marmer en halfverorberde lunchpakketten, hij laat zijn armen dwalen en zijn ogen dwalen en hij ziet het ei van Columbus, een waterleidingbuis die zich uit het plaveisel heeft geperst en een scheefhangende paal waar de buis weer in het puin verdwijnt.

De paal schudt treurig heen en weer en er lekt water uit. Het is de eenvoud zelf.

Tim verkoopt met zijn rechterbeen de paal een daverende dreun. Met de kracht van een kurk die uit een dolzinnig gistend vat springt schiet een waterstraal de lucht in, een straal die uitwaaiert in een fontein, alsof een reeks brandweermannen op een rij de demonstratie van hun leven geeft, de waterleidingbuis splijt, het plaveisel zwelt en binnen enkele minuten raakt de hele omgeving overstroomd.

Het water holt en spuit de straten door, de kelders lopen vol, de spleten en de scheuren in de grond vullen zich, de dichtgemetselde bunkers verdwijnen, het water stijgt tot de knieën van de mensen, tot de halzen, tot boven de kruin, de seinpalen en de lichtmasten verdwijnen, de laatste sporen van hoogbouwwoningen en controletorens, het water wordt enkel nog achternagezeten door nieuw water; er is enkel nog zee, een kolkende zee die bijna de onderkant van het bronzen hemeldak raakt.

Er vallen hoge en zware golven te onderscheiden en toch biedt het geheel een oneindig rustiger en harmonischer aanblik dan kort daarvoor de stad. De inbeslagname door het water verloopt als een kroningsritueel, de mensen worden schoongewassen en de onrust, het vuil en de onverschilligheid vinden hun graf.

In een parlemoeren schelp vaart Tim over de zee, met de blik van iemand die weet dat hij de natuurkrachten beheerst. Niemand die hem nog de eer kan aftroggelen, door brutaalweg te beweren bij voorbeeld dat de riviergoden hier een hand in hebben gehad of, nog snoder, dat de staat van verrotting van de buizen en kranen enkele minuten later ook spontaan tot deze waterstromen zou hebben geleid. De verwijten zouden als olie op het bikkelharde lijf van Tim zijn afgegleden. Alles wordt mogelijk als je lang genoeg wacht. Alles gebeurt een keer spontaan, zelfs de redding van de wereld. Tim heeft de tijd en de gebeurtenissen versneld, de sleur doorbroken.

Zie, de zee, de grote gelijkmaker, wordt al kalmer. Tim heeft ingegrepen in een ondergang die onvermijdelijk leek. Tevreden dobbert hij in zijn schelp, zonder masten, zonder spijlen, zonder reling. Af en toe komt er een grote golf naar hem toe, alsof de zee hikt. Alsof de watermassa wordt opgestuwd door ontploffende reservoirs daar beneden of, wie weet, door juichende bewonderaars. Tim meent een ovatie te horen. En handengeklap. Zijn schelp is een overwinningsboot.

Alsof een legioen hem op een schild meevoert, zo wordt de schelp opgetild. Onmiddellijk maakt de golf plaats voor een leegte, ze implodeert in minder dan een oogwenk, waardoor de schelp de diepte in stort, op de voet gevolgd door Tim. Op de bodem van de ellipsvormige watervallei keert Tim met een smak terug op zijn oude zitplaats, het is opnieuw een toevalstreffer geweest, een zaak van puur geluk, maar het belet Tim niet zich opnieuw de overwinnaar te wanen en rond te kijken of hij de zee beheerst. Omdat golven nu eenmaal volgen op golven bedreigt hem nu een grote golf in zijn rug, het water bruist over hem heen en zie, het treft hem niet.

Je zou zweren dat het geluk definitief aan zijn kant stond.

Hij heeft de overgaande golf niet eens opgemerkt, zo in beslag genomen werd hij door zijn succes. Hij wil luid roepen dat hij de sterkste is. Zijn humeur is stralend. De cameraman die zijn triomf moet registreren ontbreekt als enige aan zijn geluk.

♓

IK BEGIN IN je te geloven, Tim. In je opportunisme en je talent. Ik wil je zeggen, zonder gekheid, dat je op een bewonderenswaardige manier egocentrisch bent. Of wil je daar protest tegen aantekenen? Nee, je wilt daar geen protest tegen aantekenen. Je bent niet alleen een man van postuur door anderen te kleineren en schrieler te maken, je dwingt ook zelf ontzag af. Maak complimenten, deel straf uit, huichel en voel je als een vis in het water. Verdelg, mep dood en vil met huid en haar. Mik, schiet en knal ze neer. Wurg, smoor, sloop.

Het bronzen hemeldak is opengewaaid en er worden opnieuw koperen vogels zichtbaar, heen en weer schietend tussen witte wolken. Halverwege het land en de zee bevindt zich het moeras dat nu eens water afstoot en dan weer water opzuigt, een krimpend en uitdijend moeras, met de nerveuze bewegingen van een hart in doodsnood onder het mes van een chirurg. Het land werd aan de mensen teruggegeven, ze dansen en rennen als vanouds, ze gaan hun gewone gang, ze hebben geen idee meer van vuil en schoon, van wasbeurten en schimmel. Wie schoon rondloopt houdt zich voor schoon, wie vuil rondloopt ook. Alles is mogelijk als je geduld hebt. Alles zal een keer gebeuren.

Alleen het kwaadspreken werd erger. Het komt door het moeras, het verraderlijke moeras, het overgangsgebied dat maar geen land en geen watermassa wil worden. De moeraskoorts heeft zich over het land gestort, een eigenaardige koorts die maakt dat iedereen ontevreden is over alles en toch zeer tevreden met zichzelf. Men neemt bij anderen pijnlijke en nog nooit vertoonde uitwassen waar, demonen die misprijzend bejegend dienen te worden, met een misprijzen dat luid en ondubbelzinnig klinkt.

De angst voor besmetting is zo groot dat het aantal gesignaleerde infectiegevallen tot in het oneindige lijkt te lopen, iedere burger is wel op een of andere manier besmet, op elke buitenstaander lijkt iets af te dingen, de geschiedenis herhaalt zich kostelijk, de pekelzonden van weleer zijn doodzonden geworden en handicaps die voorheen niet opvielen of waaraan de bezitter onschuldig werd verklaard zijn nu hinderlijke misdaden, rijp voor een aanklacht.

Mensen die tot vandaag met ontzag en vanuit kikkerperspectief werden bekeken vallen automatisch van hun voetstuk en worden met modderkluiten bekogeld. De grootste kruipers werden de drukste moddergooiers, volledig in beslag genomen door hun vitzucht en hun ontevredenheid. Er wordt gesnaterd, gekraaid en gekrast dat het een aard heeft. Vooral bij mensen onder de één meter vijftig neemt de kwaadsprekerij exponentieel toe, misschien uit angst dat ze bij het verdrinken het eerst aan de beurt zijn, terwijl het onder de één meter dertig nog erger wordt. Daar wordt werkelijk geen levend wezen geduld dat maar een half centimetertje langer is. Elke schildpad, egel of meelworm onder de mensen heeft vleugels gekregen en verheft zich.

Tim loopt door de stad als een lilliputter. Hij moet nadenken hoe hij dit varkentje zal wassen en voorlopig lijkt het hem beter zich zo klein mogelijk te houden, buiten het bereik van al wat leeft. Dit wordt een verdomd lastig varkentje, dit is een onverklaarbare zaak. Tim begrijpt niet hoe de hang naar kleineren en lasteren en schrieler maken is ontstaan en waarom juist de geringsten er het luidst aan meedoen. Omdat ik te groot ben, denkt Tim, mag ik hier in geen geval aan meedoen. Ik heb geen zelfverheffing nodig. Toch moet ik zwijgen en me klein houden, anders word ik een schakel in deze ketting, anders word ik opgenomen in de lastercampagne van al wat gering is tegen al wat nog geringer is.

Misschien moet ik het hardst lawaai maken van allemaal. Misschien moet ik ze als een vogelverschrikker laten opvliegen en tonen dat ik over de dodelijkste bek van het moeras beschik, geschikt om de meest geharnaste borst van de liederlijkste branieschopper tot op de huid te naderen en aan flarden te pikken. Ik moet zwaaien met de ratels van de grofste beledigingen, castagnetten laten weerklinken van pek en zwavel, kopervitriool en galappel om ze het zwijgen op te leggen en, aan elke kritiek ontheven, weer de favoriet van iedereen te kunnen zijn.

Het is maar fantasiegemijmer van Tim, hij weet dat hij geen kans maakt, hij weet dat hij zijn lilliputtergestalte nog een poos zal moeten handhaven. De gewoonte om alles grondig te veroordelen, alsof men met een scheldwoordenatlas op zak loopt om er elk moment een geschikte verwensing in aan te kunnen wijzen, een agenda met maanstanden, wisselkoersen en vloeken, is een tweede natuur geworden en iedere deelnemer ziet er op toe dat hij zichzelf in de terechtwijzingen en het misprijzen niet meerekent.

Waar vroeger de gebaren van duim en wijsvinger en van een glas dat achterover werd geslagen, gebaren die alle verhalen kort maakten, gemeengoed waren, is nu geen gebaar zo vertrouwd als dat van de duim naar omlaag. Haast zou men denken dat sommigen met hun duim naar omlaag ter wereld waren gekomen.

Overal in de stad stoot men op heksengerichten van op kraanvogels lijkende scherprechters en hogepriesteressen, met hun lange nek en ellenlange ruggenwervels kaarsrecht gezeten op pluche zetels met kwasten en beslag en gedraaid palissander, stoelen van anderhalve eeuw oud met japonnen tot aan de grond, die op de hoeken van de straat snelrecht oefenen en iedere klacht onmiddellijk fiatteren.

Soms staan er lange files van wachtende mensen voor deze straattribunalen, braaf en ordelijk als Britten bij een bushalte, braveriken die er staan om hun gram te halen, hun grief te deponeren, hun lelijke zegje te doen. Bij een klaphek heeft zich een bewaker geposteerd die de kwaadsprekers een voor een toelaat en nooit iemand weigert. Hij knikt ja zoals een speelgoedpinguïn met losse hals ja knikt.

De tribunalen zijn er om de denunciaties en de waardeloosverklaringen vast te leggen, omdat de kranten en de tijdschriften het aanbod niet meer aankunnen – het wordt als ongepast beschouwd om eenzaam met zijn wrok te blijven rondlopen of zijn wrevel over de ander voor zich te houden.

Wereldkundigheid is alles, alleen vastgelegde lasterpraat telt, het is van geen belang of de laster steekhoudend is op een fundament berust, het gaat om het publieke vermogen tot laster. Roem en marktwaarde zijn de laatste idealen in het moeras en de weg er naar toe is met minachting geplaveid. De scherprechters en hogepriesteressen van de heksengerichten komen nauwelijks aan slaap toe, wat ook geen bezwaar is omdat heksen niet kunnen slapen.

Hoe lang zal het duren tot er niemand resteert die nog onuitgescholden is? Wie zullen zich aan de top van de piramide staande houden? Het is voor iedereen een bange vraag en bange vragen stimuleren het schelden. Hele rijen geslagenen druipen af, geslagenen wier maaltijd voortaan zal bestaan uit sprinkhanen en afgekloven botten en die nog jaren hun lege emaillen kroes zullen meeslepen.

Ze zullen me uitlachen, denkt Tim, ik weet zeker dat ze me zullen uitlachen als ik ze met geweld te lijf ga. Ze weten niet anders of het is hun tweede natuur, ze vinden het logisch kwaad te spreken en ze vinden het logisch met hun lege kroes de laan uitgestuurd te worden, beklad met venijn. Geweld helpt hier niet, begrijpt Tim, zelfs geen akoestisch geweld.

Ik moet de ratels en castagnetten laten voor wat ze zijn. Ik moet doen of ik er niet ben, ik moet me koest houden. Ik weet niet hoe lang het zal duren, zoveel dingen zijn nu onverklaarbaar, maar ik moet me koest houden. Het is de meest efficiënte manier, oordeelt Tim, om de roofvogels te annihileren. Alleen mijn volstrekte verdwijning kan de cirkel doorbreken. Mijn naam is struisvogel.

Hij leidt een holenleven, een onderwaterleven, een woestijn-bestaan. Het is een verrassende fase in zijn heldendom. Overwinnen door er niet te zijn, door onzichtbaarheid sterker zijn dan alle kwaadsprekers. Dat is pas sterker zijn dan de wereld.

♉

WELDOENER VAN DE wereld willen spelen, zoiets heb je in je. Ik onderneem zoveel, verzucht Tim, al die verschillende avonturen, het is ongrijpbaar voor het mensenverstand. Het kan alleen als je het in je hebt. Ik had het als jongeman al in me. De wijde wereld in, denken dat je Jezus bent, denken dat de camera op je is gericht en aldoor draait, denken dat jij de held of beroemdheid of schoonheid bent die naast je wandelt, het zat bij mij al vroeg zo in elkaar, welbeschouwd bestaat mijn hele biografie uit cirkels en slangen die in hun staart bijten, ik heb een jeugd gehad waarin de man van nu al aanwezig was. Timotheus! Ik blijf een tijd onzichtbaar, denkt hij, ik vlak mezelf voorlopig uit, ik bevind me in mijn emigratieperiode, ik kan me alleen nog begeven in de richting van mijn verleden.

Het eiland van de stier. Ook daar heb je iets mee te maken, Tim. Ik moet je meenemen naar dat eiland. Het is tegen je zin, ik weet het, om terug te keren naar dat eiland. Het is zéér tegen je zin. Maar je moet gelouterd worden, je bent immers nog altijd een gedachte, mijn gedachte, en geen mens. Sputter niet tegen. Ik wil een echt mens van je maken en ik moet je dus offeren. Ik moet je slachten op het offerblok.

Even overwoog Tim rechtsomkeert te maken en zo zijn klim-tocht door een eenvoudig gebaar om te toveren tot een afda-ling. Dan, zich verbijtend, zette hij de wandeling voort. Af en toe werd het pad zo steil dat hij naar adem moest happen.

Hij was op een vroeg uur vertrokken, voordat de zon zijn onderneming onmogelijk zou maken. Wonderlijk dat in de bergen een lijdensweg door één gebaar een lichtvoetig karwei kon worden, ja, wonderlijk was het woord. Nog één keer doemde de verleiding zich om te draaien voor hem op en op-nieuw moest er een vermanende dialoog met zichzelf aan te pas komen. Al wist hij niet waarom, hij moest naar boven, er was geen ontsnappen aan. Het pad liep een tijd horizontaal en toen zelfs enkele meters naar beneden. Dankbaar verza-melde hij nieuwe moed. In de verte zag hij de ene bergrug die hij nog voorbij moest. Straks, onder de hete zon, zou de tijm-geur in dit dal bijna verdovend zijn. Hij piekerde over de doelloosheid van verdovende geuren, nu er tot in de verste omtrek niemand was om te verdoven.

Als hij achter de berg daarginds zou zijn verdwenen lag dit dal er weer verlaten en onbespied bij, geurde het zelfs voor hem niet meer. Voor hoe lang? Maanden? Jaren? Een ogen-blik sloot hij zijn ogen. Het leek voor zijn waarneming nau-welijks verschil te maken. Ook met zijn ogen dicht zag hij vage bergcontouren, lichtschimmen in het landschap die zwemmerig dansten, een geel dat overhelde naar blauw, een blauw dat op diverse plekken in de reusachtige ruimte geel dreigde te worden en altijd maar dat slingerende pad, een pad dat hem tegelijkertijd met weerzin vervulde en meezoog.

Hij sperde zijn ogen wijdopen. Bijna was hij gestruikeld

over een agave of in elk geval iets wat op een buitensporige cactus leek. Op zijn handpalmen ontdekte hij kleine bloedspatten, de distels moesten met hun naalden ook zijn benen hebben stukgeprikt, door de stof van zijn broekspijpen heen. Hij kon het niet zien, maar hij voelde het. Er zou nu geen dorp meer komen, geen huis, geen verlaten schaapherderstal. Hij wist het. Hij probeerde, of het om een spelletje ging, maar dan een spelletje met een onbekende tegenstander en een onbekende inzet, zijn ogen steeds langer achter elkaar gesloten te houden, om telkens bij het openen tot de slotsom te komen dat hij geen centimeter van het smalle pad was afgeweken.

Het leek eerder dat het pad hem kende dan dat hij het pad kende. Zonderling ging het soms toe op zulke wandelingen. Er volgde een dal en nog een dal, verderop wachtte een nieuwe, ditmaal grimmiger bergrug, de begroeiing was schaarser en schaarser geworden. De aarde die eerst geel was geweest, met de gloed van vlammende brem, begon de kleur aan te nemen van gore kalk, witgrijze en melkwitte vlakken wisselden elkaar af en onder zijn voeten stoof nu en dan fijn poeder op.

Zelfs als de middagzon hier allesverzengend brandde kaatste de bodem het licht verbleekt terug, een licht dat wel kracht en helderheid bezat maar waar de ziel uit leek weggevloeid, alsof er een zonsverduistering op til was. Hij had nu bijna het uiterste punt van het eiland bereikt, het pad was door de natuur opgeslokt en hij realiseerde zich dat hij niet langer hijgde. Hij was niet moe, hij was niet bevreesd. Fier rechtop legde hij de laatste honderd meter af over een glad plateau, dat hier en daar gelijkenis vertoonde met een spiegelvlak.

Voor hem strekte de zee zich uit. Toen hij geen stap meer voorwaarts kon, met de punt van zijn schoenen over de rand die zich loodrecht uit zee verhief, stond hij eindelijk op de plek waar hij zoveel jaar geleden had gestaan.

Niets was er veranderd aan de reusachtige inhammen in de wand, groot genoeg om kaperschepen een schuilplaats te bieden tegen de storm of tegen hebzuchtige achtervolgers. Urenlang had hij hier staan turen naar de vlekken, waar de zee groen was en ondiep, om te zien of de kaperschepen iets aan zijn blik zouden prijsgeven, resten van een geroofde buit misschien, of een vingerwijzing voor de stralende toekomst die hem, Tim met de naïeve jongenskop, te wachten stond.

Wie negentien, twintig is twijfelt er niet aan of de toekomst die hem wacht zal stralend zijn. Hij heeft geen herinneringen die hem uit zijn droom helpen en de neerslachtigheid waarop hij in de literatuur stoot, gesteld dat hij een pechvogel is die boeken leest, komt hem alleen interessant voor, niet reëel.

Het nut van de ouderdom, voor zover ouderdom nut heeft, is dat je in staat wordt gesteld een verzameling herinneringen aan te leggen, maar meestal blijven die herinneringen doelloos en zonder onderling verband rondzweven, als de sokken en drinkbekers en schrijfblokken in de cockpit van een ruimteschip waarin de zwaartekracht is opgeheven, en alleen in het gunstigste geval bieden ze hulp bij de reconstructie van een verloren gebaar uit een vergeten dag. De dag wordt er gloeiend door en het gebaar betekenisvol, al worden vervolgens ook de gloed en de betekenis in het magazijn van de doelloze herinneringen opgeborgen.

Tim kon niet begrijpen waarom hij op die plek aan de rand van de afgrond was terechtgekomen. Wat hij wel begreep was dat zijn herinneringen daar in alle hevigheid werden losgewoeld en er zat dus niets anders op dan te concluderen dat zijn lange, vermoeiende wandeltocht naar alle waarschijnlijkheid was ingegeven door een verlangen naar herinnering, al wist hij niet welke herinneringen en ook niet of het om een welgezind of kwaadaardig verlangen ging.

De stralende toekomst die bij zijn eerste bezoek aan het eiland niet eens ter discussie stond was in zijn latere leven uitgebleven, het was een aaneenschakeling van mislukkingen geworden, al had hij zich tot het uiterste ingespannen elke mislukking als een succes te beschouwen, al had hij zich onophoudelijk door valse vleiers laten prijzen en door aandacht in slaap laten sussen.

Mislukking was een te genadig woord. Alleen op het eiland zelf was hij maandenlang gelukkig geweest, steeds sterker waren in het verloop van zijn leven de herinneringen geworden aan dat ongestoorde geluk en het eiland was, tot voor kort, in zijn geheugen het toonbeeld gebleven van rimpelloosheid en vreugde. De herinnering aan het geluk had het geluk alleen nog gelukkiger gemaakt.

Zich iets herinneren is een strategie, herinnering is een kwestie van pijplijnen en catacomben, van tochttreten en scheuren in de muur. De stad waar hij sindsdien had gewoond had hem de strategie van het herinneren geleerd, de stad was een organisme met hartkleppen, dood vlees en pulserende ingewanden, in de dwarsverbindingen en catacomben van de stad konden herinneringen gedijen.

Het kon niet anders of het eiland waar hij zo kort had gewoond moest op den duur een ondraaglijke idylle worden, het beeld bij uitstek van een verloren paradijs, het vervloekte, duizendmaal vervloekte verloren paradijs, een beeld dat werd versterkt door de ontgoochelingen, onder de naam van schijnsuccessen en Pyrrusoverwinningen, die zijn verdere leven zouden kenmerken, maar ook doordat een eiland in aanleg en wezen al zo contrasteerde met de stad.

Een eiland had geen ingewanden, een eiland was louter oppervlakte. Het was niet meer dan vanzelfsprekend dat hij daar gelukkig was geweest. Hij was jong, hij was gezond, hij had nog geen mensen ontmoet die hem op de mouw hadden gespeld dat hij voor ze in de bres moest springen, hij had nog geen stemmen van boven gehoord, hij had een piratenkop, hij had goede moed en kon lezen en rekenen.

Er had die middag een uitgelaten stemming geheerst. Tim had in het veld geholpen met het opladen van hooi. De altijd nieuwsgierige vrouwen en hun altijd zwangere dochters werkten, om tot een behoorlijk dagloon voor de familie te komen, met de mannen mee en het lapje grond waarop ze dorsten kwam er kaler en kaler uit te zien. Strohalmen prikten tegen Tims broek en staken uit zijn hoofdhaar. Het gezelschap had van een grote linnen doek amandelen gegeten en broodjes met marmelade en langzaam waren ze dronken geworden.

Timmetje ziet zichzelf zitten in de schijnwerper van een tractor, terwijl de bestuurder van de dorsmachine met zijn pet over het voorhoofd tegen een boom rust. Mensen uit het verderop gelegen dorp hadden zich bij het gezelschap gevoegd, met ezels, gieters, heggenscharen, alles wat ze toevallig bij zich hadden. Er werd vis geroosterd, paardendekens en waterkruiken werden aangedragen. Tim keek hoe het blinkende mes van een van de dorpsagenten in de vis verdween. Een in het zwart geklede vrouw liep rond met een in doeken gewikkelde pan.

Nu nog ziet hij zichzelf op de tractor springen en daar wilde gebaren van vreugde maken. Zijn soepele lijf werpt een lange schaduw op het maaiveld, het kaf bijt in zijn haren en onder zijn gescheurde hemd, de tractor hikt. In de gloed van het vuur ontwaart hij de donkere gezichten van de boerenjongens. Ze stoppen elkaar grote stukken vis in de mond en lachen luid om een grap die hij niet begrijpt. Breeduit lacht hij mee.

Dat soort herinneringen. Het was een wazig beeld dat voor zijn ogen verscheen, met veel rook van de tractor en veel rook van het houtvuur, maar dat er die oogstmiddag een gelukkige vrede had geheerst was onmiskenbaar. Tim droeg veel van die beelden uit zijn maanden op het eiland in zich mee.

Het voornaamste effect van de onheilstijdingen van de dokter, nu zo'n jaar geleden, was geweest dat hij een grote opruimwoede had ontwikkeld. Merkwaardig dat iemand, als het vooruitzicht hopeloos lijkt, niet onmiddellijk alles in zijn leven laat verwaaien en verslonzen omdat het toch nergens meer toe dient, maar er juist op gebrand lijkt zijn bestaan zo ordelijk mogelijk achter te laten. Voor wie? Voor wat?

In een kartonnen doos op de zolder had hij, tussen lege sigarettendoosjes en rekeningen van allang niet meer bestaande pensions, twee schriften van ongelijke grootte gevonden, een met een geblokt en een met een gemarmerd kaft. Er lagen foto's in van popsterren en briefjes met songteksten. Een klein krantenknipsel viel uit een van de schriften. *Sayings of the Week.* Hij bestudeerde de *sayings*, maar er was niet één bij die hem het flauwste vermoeden gaf waarom die destijds de moeite van het uitknippen waard was.

Eerst toen kwam hij tot de ontdekking dat beide schriften het dagboek bevatten van zijn verblijf op het eiland. Hij was volstrekt vergeten dat hij ooit een ijverige krabbelaar was geweest. Hij onderdrukte met enige moeite de neiging zijn dagboeken onmiddellijk ongelezen weg te gooien en met tegenzin was hij er uiteindelijk aan begonnen.

Het kwam herhaaldelijk voor dat het handschrift ontspoorde of zelfs volkomen onleesbaar werd, dan was de schrijver van het dagboek weer dronken geweest, de hanenpoten schoten naar oost en west, naar noord en zuid, maar er was iets opvallenders, en dat opvallende was dat het voor Tim na twee uur lezen onomstotelijk vaststond dat hij als twintigjarige op het eiland niet één seconde van geluk had gekend. Het meest schokte hem nog dat hij van die ontdekking niet eens geschokt was. Waren herinneringen nu echt zo onbetrouwbaar of werd het eindelijk tijd aan de gezonde werking van zijn geheugen te twijfelen?

Hij had in een van de schriften het tafereel met de tractor en de landelijke picknick teruggevonden. In werkelijkheid, zo wist hij uit de hanenpoten te reconstrueren, was hij tijdens de arbeid starnakeldronken op de tractor geklommen en nog bijtijds door een boerenpummel vastgegrepen toen hij uitgleed en in de vliegende snijmessen dreigde te vallen. Het had maar een haar gescheeld of hij was tot kaf vermalen, de onschuldige dromer met de piratenkop die het al helemaal in zich had. De redding had hem niet eens dankbaar weten te stemmen, want kort daarna had een van de pummels hem ook nog een blauw oog geslagen. Groen van misselijkheid moet hij al zijn geweest.

Eerder die middag had Tim kalm de zolder betreden. Het was op een van die dagen dat er een bedrieglijke windstilte heerst en dat er niets van belang lijkt te kunnen gebeuren, maar door het lezen van de dagboeken stak er een onverwachte storm op, de hemel barstte open en het begon als een waanzinnige te bliksemen. Hij beet op zijn handpalm en moest zijn ogen sluiten.

Dwars door alle tegenslagen heen had hij altijd het idee van een gelukkige jeugd weten te handhaven, een beeld van een levenslente waarin alles nog mogelijk was en alles met vertrouwen tegemoet werd gezien, een beeld dat hij koste wat kost ongeschonden had willen bewaren. Als hem een gebrek aan talent of wonderdoende krachten werd verweten of als hij door zijn onkunde of wijsneuzigheid een positie misliep die hij meende te verdienen, dan had hij zich daar in menig geval mee weten te verzoenen door de heimelijke gedachte dat hij toch maar als pientere jongen was begonnen en dat hij enkel en alleen het slachtoffer was, steeds opnieuw en opnieuw en opnieuw, van een mengeling van toevallige omstandigheden en bewuste tegenwerking. Nu werd ook dit beeld tot gruzelementen geslagen.

Hij was een puber geweest, zwaar op de hand, een van de niet zeldzame pubers die al op eigen initiatief dachten dat ze Jezus waren en de wereld moesten redden, nog zonder dat de wereld hem daarom smeekte. Het was buitengewoon pijnlijk geweest het allemaal terug te lezen. Hij had een brandende ambitie om op te vallen, wat vergeeflijk is in een puber, maar bij Tim kwam het voornamelijk neer op interessant doen en overdrijven. Welbeschouwd alleen op interessant doen en overdrijven, zonder aandacht voor anderen, zonder rekening te houden met een lijdende en naar wonderen hunkerende wereld.

Achteloos citeerde hij, Tim de negentienjarige, in zijn dagboek schrijvers van wereldfaam die hij nooit had gelezen, liet hij namen vallen van steden waar hij nooit was geweest en waarschijnlijk ook niet zou komen, Venetië, San Francisco. Als hij op historische belevenissen pochte, belevenissen die hij zonder een grein van spot als historisch presenteerde, had hij het over ervaringen van nauwelijks veertien dagen oud, hij dacht zijn omgeving te doorzien en slimmer te zijn dan de rest, hij keek dwars door iedereen heen, maar dat hele ijzeren en humorloze harnas van wereldwijsheid diende alleen om een grenzeloze onmacht te verbergen. Hij had nog geen idee van wat er rondom hem gaande was, wat andere mensen hem aandeden en welke positie ze hem in hun directe omgeving hadden toebedeeld.

Een dweper was hij, gelukkig met de kruimels die anderen hem toewierpen, een werkelijk arme puber die niet anders kon denken dan dat hij het middelpunt van de aarde was, druk en bedisselend, terwijl hij nog niet eens aan zich zelf was toegekomen, nog geen spat had herkend van zijn eigen aard.

Wat hij voor zijn oer- en oerhistorische wereldbeeld aanzag verkeerde nog in het stadium van sjabloon en idealisering en hij moet op zo'n drastische manier overweldigd zijn geweest door zijn nieuwe bestaan op het eiland en door wat hij daarin aan ongewone zaken aan het ontdekken was, dat er alleen een soort wartaal uit kon komen, doorspekt met zoveel futiliteiten en banale details dat de enige conclusie die de lezer oprecht kon trekken luidde dat hij nauwelijks iets aan het ontdekken was en ook maar bitter weinig meemaakte, alle malende messen, hardhandige boerenjongens en historische amandelen ten spijt.

De vondst van de dagboeken had op geen ongelukkiger tijdstip kunnen komen. Naarmate hij ouder werd was het beeld van zijn jongensjaren een steeds groter houvast geworden. Wat hem het meest aantrok was de glorie van zijn eerste avontuurlijke bevrijdingspogingen uit het cocon van ouders en geboortedorp, een bevrijding die alleen nog een zelfbevrijding was. Hij had een zekere trots ontwikkeld op die eerste schreden in het grote leven.

Na zijn laatste bezoek aan de dokter, waar een datum was vastgesteld voor de nu onvermijdelijke operatie met onzekere afloop – hij weigerde hardnekkig de kwaal te noemen of aan de aard van de afloop te denken – had hij besloten het eiland van zijn jeugd opnieuw te bezoeken. Hij had een reis geboekt, en dat was het. Hij had er verbaasd over gestaan hoe eenvoudig het in zijn werk ging. Je boekte en je was op weg.

Hij dacht aan haar die hem Timotheus noemde. Je keerde naar huis terug en je was getrouwd.

Op de zolder, die middag, besefte hij dat niet alleen het eiland, maar ook zijn jeugd aan een herziening toe was. Hij had zijn hand op zijn voorhoofd moeten leggen om te weten hoe heet het daar aanvoelde. Hij had een monster in zichzelf aangetroffen op de plek waar hij dacht dat zich een engel ophield.

Hij zou binnenkort naar het eiland van een ander gaan, van een andere ik, het eiland van iemand die hij ooit in zich zelf had gekoesterd maar die niet langer bestond. Hij wilde de beide oude schriften het liefst vergeten, wegwuiven, ridiculiseren, maar hij kon niet ontkennen, hoezeer hij daar ook zijn best voor deed, dat ze een grote verwarring in hem hadden teweeggebracht. Was niet een deel van die jongen van toen in hem blijven bestaan? Hij had met het klimmen der jaren een veelvoud aan ikken verzameld, hij was in staat geweest zijn verachtelijke ik te lokaliseren en te bevechten, maar hij onderging dat ternauwernood als een troost.

Zijn gedachten konden nog altijd pijnlijk en onvolwassen zijn, en nog altijd was hij er in het diepst van zijn hart van overtuigd dat zijn oordelen ook interessant waren voor andere mensen. Hij moest nu toegeven dat hij toen al over hebbelijkheden beschikte die hij pas later dacht ontwikkeld te hebben. Hij had er tot dusver op vertrouwd dat er nog *iets* van de jongen in hem aanwezig was, of tenminste in dat deel van hem dat hij zijn verachtelijke ik noemde, en het meest onaangename van zijn confrontatie op zolder was dat hij onwillekeurig begreep dat zijn onvermogen om het gevecht te winnen al in de jongen zat.

In de weken die voorafgingen aan zijn reis waren zijn gedachten nog herhaaldelijk naar de beide cahiers uitgegaan.

Wonderlijk dat hij ze zich zelfs niet herinnerd zou hebben, dat ze voorgoed uit zijn geheugen zouden zijn weggevaagd als hij er niet onvrijwillig op was gestoten. Nu vulden ze zijn gedachten en het kwam hem eerlijk gezegd niet eens onaangenaam uit. Het werd er eenvoudiger door om de zorgen over zijn ziekte en de nu onherroepelijke operatie op een veilige afstand te houden.

Toch was Tim het liefst alle problemen kwijt, de problemen van zijn aangekondigde passieweg en kruisiging en de problemen van de zolder, daarom volgde hij de weerberichten en veinsde hij een diepgaande belangstelling voor het temperatuurverloop op zijn aanstaande reisbestemming, hij ging verder met het opruimen van de zolder en nam de bus om in het park aan de rand van de stad een wandeling te maken. Maar dan doken opnieuw de gedachten op aan de zoveelste vergissing die hij in zijn leven had gemaakt en aan de vraag hoe het kwam dat hij zichzelf in zijn fantasie zo'n andere jeugd had toebedeeld. Was dat verkeerde beeld er meteen al geweest? Was het gegroeid? Maar hoe? Sluipend? Buiten hem om?

Tim was inmiddels gehecht geraakt aan landschappen en hij kon de indrukken van de natuur genietend en langdurig ondergaan, maar in de hele waterval van dagboekbekentenissen uit zijn periode op het eiland kwam geen landschap voor, niet één zintuiglijke impressie, niet één architectonisch detail of beschrijving van een lichaamsdeel. Wat zou het hem achteraf de adem hebben benomen als hij muren en torens had beschreven, stegen en valleien, de binnenhuizen, de groeven op een gelaat!

Helaas, er waren alleen die pedanterieën en eeuwige dron-
kenschappen, die voortdurende jacht op schimmen, dat be-
nadrukken van andermans domheid en die ophemeling van
eigen dooddoeners, het ging onveranderlijk om stemmingen
en nooit om feitelijkheden, stemmingen die na zoveel jaar
onherkenbaar waren geworden of toen al zo algemeen waren
dat ze zichzelf hadden uitgewist. Wat zouden de details hem
achteraf van dienst zijn geweest!

Als ik maar eenmaal op de oude plekken terug ben, dacht
Tim, wordt alles helder en zal ik me ieder ding opnieuw herinneren zoals het was. Als ik maar eenmaal aan zee sta valt alles op zijn plaats. Toegegeven, hij was wel nieuwsgierig geweest naar wat er in die oude cahiers, zelfs door een vreemde
of juist door een vreemde, werd gezegd over de dood en de
liefde. De jongen van toen had, zoals te verwachten viel, veel
neergekrabbeld over de dood en de liefde, over de dood nog
het meest, al was duidelijk te merken dat het hem niet echt
belang inboezemde.

Dood was een groot en mysterieus woord met een roman-
tische aantrekkingskracht, en daarom bij uitstek geschikt om
er mee te koketteren, een definitief woord, maar voor een
jongeman nog volstrekt zonder consequenties, een woord
om theatraal te brengen, een woord dat bij alle gelegenheden
dramatisch wist te blijven.

Tim moest nu glimlachen om de loden ernst waarmee
Timmetje het woord dood gebruikte, om het een regel daarna weer over volkomen alledaagse en banale onderwerpen te
hebben. Dood was nog een spel voor hem, al vond hij zelf van
niet.

Van liefde had een jongen meer verstand. Zijn aantekeningen van destijds sloegen, het viel eveneens te verwachten, voor het grootste deel op lichamelijkheid. Seksuele snoeverij kwam hij volop tegen, overal suggesties ook van zelfbevrediging, maar toch vooral een grote verwarring over het spel van aantrekking en afstoting tussen mannelijke en vrouwelijke elementen, tegenpolen die door hem nu eens werden geaccentueerd, dan weer met allerlei gefantaseerde kunstgrepen dienden te worden opgeheven voor de zijns inziens ideale situatie was bereikt.

Tim was ineens tientallen jaren verder in de tijd. De klok was op hol geslagen en de kalender vertoefde op een onderduikadres. Hij streek met zijn gerimpelde hand door zijn grijze haar. Liefde was iets van lang geleden. Hij was vergeten dat er zoiets als liefde was geweest. *Was* er wel ooit liefde geweest?

Zijn enige huwelijk was gedoemd op de klippen te lopen. Hij herinnerde zich een aldoor bordurend gevaarte met de lieftalligheid van een pantserkruiser. Zijn gedroomde ideaal was een droom gebleven, *moest* waarschijnlijk ook een droom blijven, want doorgaans hadden de mensen zich afwerend opgesteld als hij ze voor zijn doen vrijpostig benaderde en ook als het eens tot intimiteiten kwam waren de reacties doorgaans lauw en nooit stimulerend genoeg om het contact voort te zetten.

Hij was er niet altijd zeker van geweest of dat uitsluitend aan hem lag. Vaag herinnerde hij zich een grote liefde, een engelengestalte die hem op een pad tegemoetzweefde, maar de herinnering was alweer weg.

Klok en kalender staakten. Het werd donker voor zijn ogen. Zonder Eros leek alle glans op aarde gedoofd.

Op de markt heerste een rumoer dat hij uit zijn land van herkomst niet kende en ook riep het geen herinneringen wakker aan zijn eerste verblijf op het eiland, wat wel het geval was geweest, meteen al na zijn ontscheping, met de kleurenrijkdom en het assortiment aan geuren dat omhoogdwarrelde uit de restaurants en de uitstalvitrines.

De winkeliers hadden hun complete voorraad aan het nieuwsgierige en hopelijk hebzuchtige oog van de wereld prijsgegeven, manshoge blikken olijfolie, kratten cognac, zakken met noten, grote noten, kleine noten, zakken met kikkererwten en rozijnen, het jute bovenaan als hemdsmouwen opgestroopt, en mannen met voorschoten regelden zo goed en kwaad als het ging het lossen en laden van vrachtwagens in de nauwe straat, loterijmannen riepen dat het vandaag beslist de laatste kans was voor iedereen, schoenpoetsers probeerden de aandacht op zich te vestigen. Om één uur sloten de bazaars.

Tim ging op een stoel voor een café zitten en keek naar de mensen die voorbijslenterden. Een stokoude man strompelde over het midden van de straat en raapte schrikachtig een stuk papier op om er zijn neus in te snuiten, kantoorklerken wisten hun voorhoofd af, verderop stak iemand schuin over die een stapel dozen torste waaruit behangpapier puilde en van de andere kant kruiste iemand hem met eenzelfde hoeveelheid dozen. Kinderen met ratels en kleppers renden elkaar achterna. Uit het restaurant kwamen jongetjes op blote voeten steeds nieuwe porties eten aandragen. Er lekten vlammen uit de bakovens.

Hij was terug.

Zijn leven lag in scherven, zijn droom lag in scherven, alles wat hij nu zag lag in scherven. De felgekleurde olieblikken zweefden vrij in de ruimte, ergens ver weg, de wandelaars op straat leek hij maar half waar te nemen, hij moest het wel toeschrijven aan zijn vermoeidheid na de onaangename reis in de volgepakte veerboot. Bij de ontscheping had hij zeker een uur in het gangpad moeten staan, ingeklemd tussen andermans zwetende lijven en andermans wanstaltige koffers, en meer dood dan levend was hij de loopplank afgestrompeld.

Bij de aanlegsteiger had hij twee zwarte nonnen waargenomen die met grote snelheid een brancard voortrolden waarop iemand lag – een man, een vrouw? – met een volledig in witte lappen gewikkeld hoofd, zonder zelfs maar een streep voor de ogen, wat geen bemoedigend gezicht was. Waar zou hij op dit onontwikkelde, in de zomer door toeristen geplaagde eiland in vredesnaam iets van een operatiezaal vinden? Tegen zijn zin en tot zijn verbazing was Tim ineens een man van verzekeringspolissen en garanties. Wat kwam hij hier doen?

Hij had een reis willen maken naar een plek waar hij ooit gelukkig was geweest, maar het doel van zijn bezoek was de laatste weken steeds onduidelijker geworden. Waarop had hij gehoopt? Op een vorm van mild nagenieten? Timotheus, schaam je!

Hij schoof ongemakkelijk op zijn houten caféstoel heen en weer en nog eens vroeg hij zich af wat hij hier in godsnaam was komen zoeken. Het denken wilde in de hitte niet goed lukken, hij realiseerde zich dat er door zijn vondst op zolder een voortijdig en abrupt einde aan de zoektocht was gemaakt, al was het ook mogelijk zich vriendelijker uit te drukken en te zeggen dat de zoektocht was afgerond. Het probleem bleef dat de zoekende er nog was. Hij, Tim de deemoedige, de getemde. Waarom was hij hier? Misschien alleen uit een verlangen ergens te zijn.

Op het trottoir aan de overkant zag hij gevilde beesten hangen, volgestampt met paarse stempels, runderen die met hakmessen werden bewerkt, schapen en varkens, met gestroopte staarten waarvan de pluim nog intact was. Een slager die duidelijk aan *horror vacui* leed had de lege plekken tussen de dicht tegen elkaar hangende vleespartijen opgevuld met varkenshoofden.

Op dat moment wilde Tim naar de punt die uitstak over zee, aan de andere kant van het eiland. Weg van de toeristen en de varkens, of de varkens en de toeristen, een tocht waarvoor hij eerst de taxi en de bus moest nemen om vanuit het laatste dorp aan de andere kant zijn weg te voet te vervolgen, gewoon omdat hij bij de punt alleen te voet kon komen.

Er waren zwarte geulen, waar de kaperschepen doorheen hadden moeten varen om hun schuilplaatsen te verlaten. Waar de zee groen en ondiep was bleven de voorwerpen die ze overboord hadden gegooid of in de haast waren kwijtgeraakt wel eens vasthaken en het kon eeuwen duren voor ze definitief door de zee werden meegesleurd en verzwolgen. In zijn verbeelding had Tim daar schatkisten gezien, scherven van kruiken, goudstukken, een verbleekt skelet. Sommige inhammen diep beneden waren zelfs met een kleine, behendige boot vanaf zee onbereikbaar, zo dicht en rijk was de baai daar bespikkeld met rotsachtige schildpadruggen en pieken.

Rond het eiland trof men meer van dat soort inhammen en holen aan, ook waar zandstranden en in de rots uitgehouwen paden ze gemakkelijker bereikbaar maakten. Dan waren er gebruikssporen van heel vroeger te zien, grottekeningen en schroeivlekken van vuur, al kon niemand precies zeggen waarvoor die holen ooit waren gebruikt. Als woonplaats voor gezinnen, als schuilplaats voor jagers? Romeinse soldatengraven? Het konden graven zijn geweest, ze konden ook als altaarruimtes hebben gediend. Elk van de holen was zo groot als een kamer.

In de baai waar Tim stond konden de inhammen enkel kapersholen zijn geweest. Grillige jaarringen tekenden zich af in de wand en sommige openingen waren door instortingen of aardbevingen half toegeschoven, als de zon er pal boven hing maakte het bij elkaar de indruk van een versteende stad. De zee verdween in de onderste spelonken. Door hier een tijd aandachtig naar te kijken werd de toeschouwer zelf van een andere substantie, van lieverlede vervormde de aanblik hem, wie hier lang genoeg naar tuurde moest zich op het laatst wel gaan verbeelden dat hij met een groter leven bezig was, dat hij een priester was geworden of een piraat, veel maakte het niet uit. Als het maar in een andere wereld was! Daar stond Tim nu.

In zijn herwonnen gevoel van fierheid kwamen oude beelden in hem op, beelden die hij in de beide cahiers maar zelden had aangetroffen, misschien alleen in het verder zo deprimerende verhaal van de tractor en de ronddraaiende snijmessen van de dorsmachine. Het was of het waas dat de jeugd had bedekt en het waas waarmee hij nu werd bedreigd tegelijk waren weggenomen.

Ziet hij daar in de diepte niet, zich traag bewegend van in- ham naar inham, een groot gipsen hoofd met pupilloze ogen? Hij zou zweren dat het hoofd, lichtjes boven het water zwevend, knikte als om te kennen te geven dat het hem heeft gezien, om vervolgens met een fosforgloed in de donkere grot te verdwijnen.

Ze waren in een aftandse legerwagen naar zee gereden, hij en zijn vriendin. Eerst over een keipad dat zowel de auto als de inzittenden gevoelig door elkaar schudde, daarna van de verlaten kazerne over een niet meer in gebruik zijnde startbaan. Door de droogte was de startbaan hier en daar gespleten, maar het was nog altijd mogelijk een hoge snelheid te halen.

In het donker rijden maakte de meeste indruk op Tim. Het licht van de koplampen streek langs de wachtende olijfbomen, ze verstarden en stonden er als kartonnen opzetbomen bij, ze verloren hun volume en werden fluorescerende platte vlakken. Terwijl ze er snel langs reden schoven de olijfbomen links en rechts van het pad voorbij als een reeks coulissen in de toonzaal van de hemel.

De legerwagen bewoog zich door een duizelingwekkende kijkdoos met projecties van bomen, geen echte bomen, en bij zee verdwenen de onechte olijven om plaats te maken voor onechte laaggroeiende oleanders.

Wonderlijk, opnieuw wonderlijk, dat hij zich nu herinnert dat er zich langs de startbaan, tussen de oleanders, een schel roepende hoer ophield, hij herinnert zich zelfs een wijsje – *Ursel mit dem kalten Loch, klingelts nicht so klapperts doch* – en dat hij weer haarscherp ziet hoe ze daar rondliep ten dienste van de schaapherders, als een onvermijdelijk aan het land-schap toegevoegd onderdeel.

Officieel was de startbaan nog altijd militair terrein en om onduidelijke redenen verboden voor onbevoegden. Mis-schien omdat een kilometer verderop de ruïnes lagen van de stad waar in de oudheid de stier werd aanbeden, een stad van overvloed, een stad die om haar spilzucht en losbandigheid geknecht en gewurgd moest worden.

Hij is gekomen voor de gouden stier. Tim staat precies op de plek waar hij eerder in zijn leven heeft gestaan. De sokkel is leeg. Een bordje in drie talen vertelt hem dat ze de stier heb-ben overgebracht naar het archeologisch museum om geres-taureerd te worden. De stier zal bovendien niet terugkeren. Er is een kopie in de maak, vanwege zure regen en benzine-dampen, een kopie die binnenkort zal worden geplaatst. Tim is voor niets gekomen.

Ook het deel van het strand waar ze naar toe reden mocht niet betreden worden. Het verleende de tocht iets clandes-tiens en iets opwindends. Hij en zijn vriendin omhelsden el-kaar op het strand, maar ondanks de gunstige voorwaarden mislukte hun vrijpartij jammerlijk. Hij weet nog dat ze daar-na in het maanlicht gekleurde stenen uit het water raapten.

Hij ziet een dorpstoneel aan zee. Het is zondagmorgen en er waait een straffe wind. Gisteren is hier een vreemdeling de strot doorgesneden omdat hij niet wilde trouwen met de dochter die hij had verleid. De toegangswegen zijn door de dorpelingen met touwen en koorden afgezet, de politie uit de nabijgelegen gemeente ziet geen mogelijkheid het dorp binnen te komen, vruchteloos wachten hun overvalwagens aan de dorpsgrens.

Intussen doet iedereen of het de gewoonste dag van de wereld is, er spelen kinderen op het pleintje, de baas van het enige eethuis zit op een groentekistje aardappelen te schillen, een andere man vult een emmer bij de dorpskraan, vlak bij de eucalyptus. Een vrouw, voor een wit huis met groene luiken, kookt aubergines op een gasstel. Ze snijdt met haar linkerhand een suikermeloen stuk. Het is nazomer, het landschap is grijzer geworden.

Zondag, wachtende agenten, nazomer, alles wijst er op dat dit een statische dag zal worden, het lijkt of de dorpelingen een geheime afspraak hebben gemaakt om juist vandaag feest te vieren. Complete families komen aangewandeld, breedbenig en schokschouderend, bekenden en onbekenden schudden elkaar de hand, de schoolmeester van het dorp, de buschauffeur en de dikke eigenaar van de bazaar wisselen knikken uit. Een man met een rouwband valt iemand om de hals en maakt er varkensgeluiden bij.

Zwarte vrouwen schillen ineens hevig aardappelen, er stijgen etensgeuren op, bromfietsen komen uit de zanderige zijstraten aangestoven en er speelt een grammofoon. Snel komt het feest op gang. De families worden dronken, alsof er moet worden gegrossierd in alcoholgebruik, de zwager danst met de neef en de kleinzoon balanceert met één been op een stoel die weer op een tafel staat. Grootvaders zingen guitige regeltjes die door groepjes vrouwen echogewijs worden beantwoord, glazen en borden scheren langs de feestvierders om tegen de muur uiteen te spatten. De agenten uit de stad hebben zich bij het feest gevoegd, in hun uniform, en maken obscene gebaren, de man met de rouwband probeert met grote toewijding zijn stoel recht overeind te houden, terwijl hij met een extra treurig gezicht wijst op zijn rouwband. Van de rest weet Tim niets meer. Niettemin is het een zintuiglijke herinnering, van een zintuiglijkheid die hem verwart, een herinnering zonder duistere wolken of zelfbeklag.

Er was ook een dorp dat *Rode Vuurtoren* heette. Een man uit een straatarme familie hadden ze naar de stad op het vasteland overgebracht en in een inrichting gegooid, omdat hij het lijk van zijn vader had opgegraven en zijn mededorpelingen hem hadden aangetroffen toen hij kraaiend van plezier bij het lijk zat. Zijn oude moeder was al uren daarvoor gevlucht op een ezel. Beelden verwekken beelden.

Het duidelijkst herinnerde Tim zich het voorval waarbij hij een dode langs de weg had zien liggen. Dat er in zijn dagboeken, die toch werden verondersteld aantekeningen van dag tot dag te zijn, nergens melding van werd gemaakt was misschien logisch, zo helder omlijnd en feitelijk was dit beeld.

Hoog in de bergen had hij zomaar wat rondgeslenterd door een ruïne waarin wilde kersenbomen stonden en waar nog een antieke bron klaterde en daar, tegen het afgebrokkelde pleisterwerk van een muur en half door distels aan het zicht onttrokken, had de dode gelegen, op zijn rug en met zijn armen strak langs het lichaam, een jongeman was het, met een zwarte lap over een van zijn ogen en met een zilverkleurig ringetje in het linkeroor. Hij moest er al enkele dagen hebben gelegen.

Hij had slanke handen gehad, zoveel kon Tim nog aan hem onderscheiden, en een welgevormd en sereen gezicht en hij was gekleed geweest in een linnen broek en een wit hemd met openstaande kraag. Dat alles viel ondanks het verval dat zich opdrong nog te zien. Ondanks de stank en het ongedierte. Er was geen spoor van verwondingen. De wind had de dode jongen bedekt met een vliesdunne laag geel stuifzand.

Tim herinnerde zich enkele minuten vrij onaangedaan naar het gezicht en het lichaam te hebben gekeken. Vervolgens had hij zich over een zigzagweg naar een bergdorp verderop gehaast, waarvan hij de ligging kon raden door de klok die hij bij het betreden van de ruïne had horen luiden, een antieke klok uit een afgelegen schuildorp.

Het dorp met zijn witte, tegen elkaar leunende blokkendozen leek uitgestorven en het moest de wind zijn geweest die de klok in beweging had gebracht. Alleen een stokoude man lag te slapen in de schaduw van de kerk. Hij schudde de man wakker en vertelde, voor zover hem dat met zijn gebaren van ontzetting en met gelaatsuitdrukkingen lukte, wat hij in de ruïne had aangetroffen.

Van die zonderlinge dag herinnerde Tim zich verder alleen hoe hij met de stokoude man, die een schop in de hand droeg, door een mensenloze wereld was teruggewandeld naar de plek waar de dode lag en dat de stokoude man in opdracht van Tim een kuil had gegraven. Tim had geholpen het lijk er in te leggen en pas toen de stokoude man stilzwijgend het gat weer had dichtgegooid was hij vertrokken. Tims hand bloedde, omdat hij op het laatst een disteltak met rode bessen op het graf had willen leggen.

Hoe lang stond hij hier? Een half uur? Drie kwartier? De zon begon hinderlijk te branden en wekte hem een ogenblik uit zijn mijmeringen. De punten van zijn schoenen staken nog steeds uit over de rand van het ravijn. Onmiddellijk werd hij door een nieuw beeld overvallen, zijn herinneringen hadden ditmaal een herinnering losgewoeld die diep in een korst moest zijn weggezakt.

Bij zijn eerste bezoek, een eeuwigheid geleden, had hij met een vriendinnetje dit plateau bezocht en zijn vriendinnetje was bang geworden, ze was halverwege de wandeling al zo van streek geraakt door de onwereldse aanblik van het landschap dat hij haar had moeten ondersteunen. Bij de gaten en spleten in de bodem die duizelende doorkijkjes boden naar de spelonken eronder liet ze soms een verschrikt gilletje horen en ook als er slangen te voorschijn schoten uit de lage distels.

Tim was voor spelonken en slangen niet bang, maar toch had de benauwdheid van zijn vriendin aanstekelijk gewerkt, de angst voor de ruimte en de eenzaamheid, voor onverhoedse valkuilen en signalen uit een andere wereld, werd ook bij hem groter en groter naarmate ze dichter bij zee kwamen. Het was harder gaan waaien en de laatste meters waren ze er samen naar toe gekropen, precies tot het punt waar hij nu stond.

Plat op hun buik keken ze over de rand van het ravijn de diepte in en zo dapper mogelijk probeerden ze het spelletje te spelen wie in de ondiepe gedeelten als eerste het restant van een oude kapersbuit ontdekte. Hun hart bonsde tegen de stenen. Ze tuurden naar de eilandjes in de kom die niet groter waren dan mensenlijven, nergens vertoonden zich schuimkoppen op zee en langzaam maar zeker was hun hartenklop rustiger geworden. De duisternis viel als een masker.

De camera draaide.

Daar, aan de rand van het ravijn en onvoorstelbaar ver van de bewoonde wereld, was het tot een vrijpartij gekomen die buiten zijn gefantaseerde en tot in den treure herhaalde vrijpartijen misschien de enige gelukkige vrijpartij van zijn leven was geweest, van begin tot eind volmaakt, van de eerste onstuimige overgave tot het geluidloze wegebben van de climax, ze hadden ook letterlijk tussen hemel en aarde gezweefd, geen enkel obstakel had zich tussen hen en de bevrijding gedrongen en er was daar op het dak van de aarde een ongeëvenaard offer gebracht aan de liefdesgod die boven alle mensen troonde. Het was toch wel echt gebeurd? Jawel, hij herinnert het zich alsof het ingetekend staat in een ruitjesblok, zelfs de koude rots herinnert hij zich waarvan hij toen de kou niet voelde, de klauwende nagels die geen pijn deden herinnert hij zich en de opkomende maan die alleen aandacht had voor de zee.

Er was niets aan de hand met zijn geheugen. Hij was niet bang. Even mocht Tim de jongen die reëel in hem had bestaan en die niet langer bestond recht in de ogen kijken, een jongen die dan pedant mocht zijn geweest, maar die zich door niets en niemand kapot liet maken, een jongen die over een onwaarschijnlijke naïveteit mocht hebben beschikt, maar dan toch een naïveteit die vergezeld ging van een ontembare, onsterfelijke, niet aan te tasten levensdrift.

Dit korte moment van zelfrespect deed Tim goed. De gedachte aan zijn kwalen en aan wat hem nu probeerde aan te tasten was verder weg dan ooit. Zijn onzekere toekomst baarde hem, daar aan de rand van het ravijn, geen enkele zorg, want als het dan toch onmogelijk bleek de cirkel rond te maken, als de herinnering aan een periode van ongebroken geluk ondanks alles een illusie was gebleken, dan had hij tenminste dit ene moment nog, dan had hij tenminste deze bijzondere plek nog.

Hij kon zonder te liegen en zonder zich te beroepen op de verbeelding volhouden dat er één ding niet was mislukt in zijn leven. Hij rechtte zijn rug nog eens extra en keek zonder er hinder van te ondervinden tegen de felle zon in. Het was het warmste uur van de dag, hij genoot volop van de hitte. Warmte is voor een oud man een geschenk. Hij ademde gelukzalig. De zee was eigenlijk wel mooi blauw, dacht Tim ook nog. Goed bekeken was de wereld een wonder.

Er werd op zijn schouder geklopt.

Hij keek om. Er stond een jongeman achter hem die grijnsde. De man gaf hem een duw. Terwijl hij viel meende hij stellig een zwarte ooglap gezien te hebben en een zilverkleurig oorringetje.

Ⅱ

TIM WEET OOK wel dat hij gevaarlijk ver van het oude verhaal
is afgedwaald. Wat betekenen oude verhalen en wat betekent
het als oude verhalen niets betekenen? Louter door hun bestaan sturen ze me, denkt Tim, ik kom splinters en scherven
van hun aanwezigheid tegen, ze sturen me, ik stuiter, ik rico-
cheer en alleen al doordat ze er zijn, de oude verhalen, kom
ik ergens terecht.

Tim heeft zichzelf opgevangen. Wat voor alle stervelingen
een nederlaag of zelfs de dood zou zijn betekent voor hem opnieuw een overwinning. Geen redder zonder vervloeking,
dood en opstanding. Hij hoeft maar met zijn vingers te knip-
pen of een dubbelganger springt in de houding. Hij durft
weer volop aanwezig te zijn, het is hem bekend dat alles steeds
van voren af aan begint zonder dat de mensen beseffen dat alles van voren af aan is begonnen. Er lijkt veel te gebeuren in
de wereld, maar voor mensen die een beetje kijk op de dingen hebben, die afstand houden of gewoon een beetje hoog-
hartig zijn gebeurt er niets.

Hooghartigheid is nu de leus voor Tim. Hij moet ophouden te denken dat hij voor het heil van de mensheid op de wereld is geschopt. Hij moet de irritante gewoonte kwijt zich

dictator te wanen met de dictatoren en dakloze met de daklozen. Nooit heeft hij zich kunnen wegcijferen. Met het oog op de redding van medemensen of met de bedoeling zijn hachje te redden misschien, maar nooit wegcijferen in de betekenis van niemand anders te willen zijn dan hijzelf, van aan zijn eigen gezelschap meer dan genoeg te hebben.

Nooit heeft hij het genoegen gesmaakt van louter toeschouwer te zijn, nooit heeft hij zijn omgeving passief kunnen ondergaan, gewoon om haar te bewonderen of om ervan te genieten, altijd wilde of moest hij er een rol in spelen. En als hij er geen rol in speelde, wat onbegrijpelijkerwijs ook voorkwam, dan maakte hij zichzelf wijs dat hij er een rol in speelde, altijd bleef hij de miskende deelnemer, de nog onontdekte hoofdrolspeler die zich ooit zou openbaren, als de omstanders het licht maar zouden zien. Altijd was er die zeurende verongelijktheid, vermengd met eigendunk, altijd die stille stem: kijk naar mij, kijk naar mij.

Nu wil hij zich onafhankelijker gedragen. Nu wil hij zich eindelijk zien in de spiegel van anderen, nu wil hij zichzelf zo eerlijk mogelijk zien door de anderen serieus te nemen. Niet alleen zijn eigen sterfelijkheid en onsterfelijkheid tellen mee, ook van de dood van de rest van de mensheid wil hij zich bewust zijn, hoe andermans laatste ogenblikken eruit zien, hoe het doodsgereutel van anderen klinkt, hoe ze lijden en kronkelen en jammeren in hun laatste minuut. Tot Tim nu zelf sterft, en hij is er niet eens zeker van of dat zal gebeuren, zal hij alleen anderen zien sterven, alleen anderen zullen voortaan afstand moeten nemen van elkaar of, nog mooier, van hun geliefden.

Tim wil zijn leven beteren en om te beginnen probeert hij vroom stil te staan bij mensen die hun geliefde zien sterven. Wat zouden de aardse schepsels al hun vergissingen, stommiteiten en onverschilligheden graag op rekening schrijven van het toeval, alsof de volmaakte mens per ongeluk iets onvolmaakts heeft gedaan, wat zouden de schapen allemaal graag bij elkaar willen blijven, hoe graag zouden ze willen dat het niet zo onverschillig en beestachtig in elkaar zat, en daarom hebben ze hun verhalen verzonnen van zielen die zich manifesteren, van grafkuilen die zich openen en van stemmen die gehoord worden in de nacht. Wat zouden ze graag willen dat hun liefde een fatale hartstocht was, hoe zeker weten ze eigenlijk niet dat niemand zo bemint, zo haat, zo alles doorziet, zo de stenen en de hemel laat wenen als zij! Wie maar sentimenteel genoeg is blijft uiteindelijk onaanraakbaar voor kritiek.

Tim is niet dom. Tim is om de dooie dood niet dom. Hij begrijpt dat hij pas over het sterven van vrienden kan oordelen als hij zelf eerst vrienden heeft gemaakt. Hij moet zich op vrienden kunnen beroepen, alleen al om aan het schrikbeeld te ontsnappen als een onclassificeerbare hond aan zijn lot te worden overgelaten. Hij zal onmiddellijk voor vrienden dienen te zorgen en voor, wie weet, zelfs een geliefde. Het lijkt gewaagd, maar niets is te gewaagd voor Tim.

Hij trekt rimpels in zijn voorhoofd, laat zijn spierballen haasje over spelen, glimlacht, probeert de uitdrukking in zijn ogen te leggen van een geilaard die al urenlang naar twee parende nijlpaarden kijkt en gedraagt zich in alles als een doetje. 'Kop op!' zegt hij tegen iedere hanglip. Binnen de kortste keren beschikt hij over vrienden. Hij zet een stap opzij als ze eraan komen, vergeet niet presentjes voor ze te kopen en zie, het zijn de dikste vrienden geworden.

Tim kan niet volhouden dat de nieuwe situatie hem onwelgevallig is, hij prijst maar hij verneemt ook prijzende woorden, hij kan de conclusie dat hij een natuurtalent is en een geboren winnaar ook eens aan anderen overlaten. Tot dusver, realiseert hij zich, nam hij alleen maar klakkeloos aan dat de taxatie van zijn daden gunstig zou uitvallen, hij beschouwde de bewondering voor zijn wapenfeiten eigenlijk als vanzelfsprekend, maar nu verneemt hij het woord voor woord, lettergreep voor lettergreep, letter voor letter, rollend over lippen van vlees en bloed, over lippen van mensen die oprecht en nuchter zijn omdat ze zich zijn vrienden noemen.

Ik moet oppassen voor tevredenheid, denkt Tim, terwijl hij zich tevreden in zijn handen wrijft. Om te bewijzen dat zijn tevredenheid niet volmaakt is en dat hij niet plotseling tot een gedegenereerde staat is vervallen, maar zich nog altijd een jager voelt, rusteloos en vol eerzucht, besluit hij op zoek te gaan naar een geliefde. Een geliefde is een veredelde vriend, veronderstelt Tim, die geen ervaring in zulke zaken heeft, een geliefde maakt van het prijzen en bewonderen een dagtaak, een geliefde vormt de ideale bevestiging van zijn bekering. Verder kan Tim niet gaan. Hij zit niet om een geliefde verlegen, een geliefde is iemand die hem onmisbaar maakt.

De geliefde die Tim zonder veel moeite vindt, beantwoordt in alles aan wat hij zich van een veredelde vriend voorstelde. Abdoellah heet hij. Hij heeft zwart golvend haar, met de onvermijdelijke lok. Hij loopt op sloffen en gedraagt zich als een page. Hij ziet er tien jaar jonger uit dan hij is. Tim zou hem verzonnen kunnen hebben als hij hem niet toevallig had ontmoet, op een grasveld in de onvermijdelijke sloppenbuurt. Abdoellah ruikt naar gras.

Tim aanbidt hem. Tim vertroetelt hem. Abdoellah klapwiekt voor hem ergens in een hemel van sagen en sprookjes, hij troont met gekruiste armen op een vliegend tapijtje. Hij zou net zo goed blond kunnen zijn of een neger! Beledig Tim niet. Hij is de geliefde zonder meer.

Nu pas voelt Tim zich een echte held. Helden hebben dit soort beschermelingen. Beschermelingen die meteen beschermengelen zijn. Abdoellah is geschapen voor het beschermengelschap. Tim strooit enthousiaste verhalen rond over hoe Abdoellah is geschapen en wat engelen doen.

Tim beleeft zijn idylle en voelt ook zelf wel dat het tweelingschap niet eeuwig kan duren, maar wat hij niet een twee drie had kunnen voorspellen is de richting waaruit de lucht zou betrekken. Dat de gebeurtenis onvermijdelijk voortvloeit uit het bezit van vrienden kon hij niet vermoeden, omdat hij nooit springlevende vrienden heeft gehad.

Wat Tim nu meemaakt is dat hij onverwacht ook over een vijand beschikt. Wie vrienden maakt krijgt er vanzelf een vijand bij die hem om zijn vrienden benijdt. Tim beschikt over een enorme vijand omdat hij zo'n enorme vriend heeft en zoveel iets minder enorme vrienden. Geen vijand is het die hem benijdt om zijn spierkracht, zijn reactievermogen of zijn talent om te verlossen, deze vijand is een speciale vijand, als jaloers mos gegroeid op een schuldeloze steen, omdat er steeds mensen zijn die een goed woordje voor Tim overhebben, hardop nog wel. Het is welbeschouwd een wonder dat Tims idylle zolang heeft kunnen duren.

Tim doet of hij zijn vijand ranselt en met een stok wil bewerken, hij steekt naalden in een wassen beeld dat hij op een verhoging heeft gezet, hij spreekt bezweringen uit en probeert hem dood te denken. Tim begrijpt maar niet dat hij, net nu hij rijp voor vrienden was, met zo'n enorme vijand zit opgescheept. 's Nachts vliegen zijn lakens en dekens door de lucht omdat hij schijngevechten levert met de klootzak. De klootzak fascineert hem mateloos.

Hij verwaarloost zijn vrienden en vergeet zelfs Abdoellah, zo wordt hij in beslag genomen door zijn vijand, een vijand die te laf is om te voorschijn te treden en die zijn pijlen alleen maar via een omweg afschiet op Tim. Zijn onrust om die ene vijand wordt groter dan zijn liefde voor al zijn vrienden bij elkaar, de uitverkoren beminde inbegrepen. Het elimineren van deze verachtelijke vijand komt hem nu voor als het begeerlijkste werk. Hij zal niet rusten voor het is bereikt.

Bij elke voetstap verbeeldt hij zich op zijn vijand te trappen, elke deur die hij opent knalt recht in het gehate gezicht, een gezicht dat hij zonder het gezien te hebben kan naschilderen, met vijandige ogen, een vijandig voorhoofd, een vijandige moedervlek op de vijandige linkerwang. Tim klapt in zijn handen en verplet de vijand. Tim snuit zijn neus en de vijand drijft mee in de zakdoek. Alle beetjes helpen.

Het belang van vrienden lijkt verschrompeld, vrienden zijn onbelangrijke tussenstations in het bestaan, vrienden kun je opblazen en naar believen laten leeglopen, het enige wat hem obsedeert is de vijand. Hoe meer hij probeert de vijand te laten leeglopen hoe imposanter en onvermijdelijker de onverlaat wordt. Aanvankelijk wil hij het niet onder ogen zien, maar al snel moet hij erkennen dat hij liever de vijand als vriend zou hebben, alleen al uit ergernis dat zijn vijand zich niet als eerste bij hem heeft gemeld toen hij vrienden zocht.

De luchtgevechten in zijn dromen maken plaats voor vriendschappelijke wedrennen, voor hilarische plaagstoten en intieme momenten, waarin ze verstrengeld lichamelijke spelletjes spelen en elkaar diep en warm en doodverliefd in de ogen kijken. Als zijn vijand met zijn geslacht in de hand op hem was toegestapt en paarse maden, witte schimmelvlokken en geleiachtige bacteriën zouden er bij honderden uit zijn gespoten, hij zou ze allemaal hebben doorgeslikt.

Wanneer Tim 's ochtends wakker wordt, schaamt hij zich voor de verlangens in zijn dromen, maar de schaamte duurt niet lang. Al snel geeft hij zich ook aan dagdromen over waarin hij en de vijand als David en Jonathan zijn, als Orestes en Pylades, als Castor en Pollux.

Hij moet zijn vijand wel erg haten als hij de liefde als het dodelijkste wapen beschouwt. Of is het de ergernis van een kind dat juist het speelgoed wil dat het niet kan krijgen? Tim staat daar geen moment bij stil, zijn fantasie is tot de nok gevuld met vijand, de vijandige man met het vijandige voorhoofd en de vijandige moedervlek zwelt en zwelt en Tim begint in de gaten te krijgen dat er maar één oplossing bestaat. De worm die hem van binnen opvreet moet worden verwijderd. De vijand moet dood, drastisch de keel worden doorgesneden, met wortel en tak worden uitgeroeid.

Ga Tim, ga dan.

Tim weet waar zijn vijand woont. Als de geboren held die hij is ontwerpt hij zijn overwinningsstrategie. Uitgebreid heeft hij zich laten beschrijven hoe zijn vijand de dag doorbrengt en hoe hij eruit ziet. Hij denkt bijna al zijn eigenaardigheden te kennen. Vraatzucht is de meest opvallende eigenschap van zijn vijand. Even overweegt Tim zijn huis onder water te laten lopen, omdat een zwaargewicht zich maar moeilijk uit de voeten kan maken. Op hetzelfde moment ziet hij al in dat dit ouwe koek is, dat hij niet twee keer met hetzelfde liedje moet aankomen. Overstromingen kunnen altijd nog, overstromingen zijn goed voor een ziek en humeurig volk, geen water moet deze vijand hebben maar vaste kost.

Vlees, stevig vlees. Proviand om de tanden in te zetten. Tim weet dat zijn vijand jaloers is op zijn vrienden en daarom zal hij hem zijn vrienden gaan opvoederen. Nooit had hij aan dat gedoe met vrienden en vriendschappen moeten beginnen. Zijn vijand mag al zijn vrienden cadeau hebben, smakelijk opgediend en op de juiste temperatuur. Je hebt toch vrienden om je te helpen van je vijand af te komen?

Een voor een zal hij zijn vrienden opdienen, hij zal zijn geliefde vijand de mond volproppen tot hij vriendenbrokken kotst en zich verslikt in de vriendenbotten. Abdoellah zal hij voor het laatst bewaren. Straks zal Tim persoonlijk bij het huis van zijn vijand aanbellen, met Abdoellah aan zijn zijde, en hij zal hem het appetijtelijke hapje met de woestijnogen, de minaretneus en de kameelwenkbrauwen eigenhandig op-voederen. Tim ziet het helemaal voor zich, hij huivert van ge-not.

De haremwangen van Abdoellah zal hij wang voor wang op de tong van zijn vijand leggen, de geknakte moskeebenen worden de mond in geschoven, waarna de geknakte jihad-ar-men volgen en de aan de repen gescheurde hoerihals en het met mirre en tepelzalf ingewreven geitengeslacht. Zijn vijand zal hem het wit van zijn ogen tonen en als een fakir met zijn hals beginnen te draaien, zo kostelijk wordt het. Het is een ideale bestemming voor Abdoellah.

Het offer kan Tim weinig schelen, liefjes moeten worden veroverd en niet zomaar op een grasveld worden aangetrof-fen, liefde moet als een zoeken zonder vinden zijn, ik wil er voor aan deuren kloppen, mijmert Tim, kloppen als een ha-veloze, ik wil op engelenvleugels langs door god en iedereen verlaten grasvelden scheren waar de ratten schuifelen en de wormen ritselen. Ik wil de liefde uit haar geheime kerker ver-lossen, uit ingestorte mijngangen opdelven. Spreek me niet tegen.

Abdoellah was te gemakkelijk. Uit straf voor zijn mee-gaandheid moet hij tot de laatste teennagel, tot de laatste zeen van zijn melkkleurige buikvlies in de muil van de vijand verdwijnen. Dan zal mijn vijand boerend in slaap vallen, door Tims lievelingspage definitief verzadigd, en met een buik vol vrienden zal hij zich languit op de grond uitstrek-ken, een vadsige, Byzantijnse vijand, waarna Tim hem de keel kan dichtdrukken, een mes door de borst stoten, de hersens kan klieven, het is om het even.

Misschien zou Tim hem zó kunnen verwonden dat hij in een coma raakt, een grandioze coma waarin hij elk woord van Tim kan verstaan maar niets kan terugzeggen. Nee, de dood lijkt Tim het beste. Met christenbloed, een mooie fontein van christenbloed. Gelukkig bezit hij vrienden genoeg om het karwei te klaren.

♍

JE MOET NOG naar de amazones, Tim. Iedereen moet een keer naar de amazones. Vriendschap staat het avontuur in de weg, het dingen naar de gunst van mensen vormt de grootste belemmering voor je bewegingsvrijheid. Vergeet de ongelukkige episode die achter je ligt, vergeet de vrienden die je hebt geofferd, een offer dat je leven heeft gered, ga naar de amazones.

Het is mogelijk dat vrouwen tijdelijk van vrouwen houden, er kan zelfs van een intense liefde sprake zijn, maar uiteindelijk vallen ze allemaal voor een man. Liefde tussen vrouwen kan alleen voorbijgaand zijn, nooit definitief, het is een driekwartliefde, een ontsporing, zoet en aandoenlijk, en als ze eens hardvochtig en stoer is, dan nog blijft ze een schimmenspel, een echo van de liefde in de grote wereld, een pijn die nooit echte pijn wordt, een klaarkomen dat een poppenkastimitatie vormt van het allesbevruchtende en allesverslindende klaarkomen. Tim is daar heilig van overtuigd.

Waar zulke vrouwen kwamen verhardde de sfeer, de wereld werd lelijker, ontheatraler en benauwder, tenzij de vrouwen over humor beschikten, wat zelden voorkwam. Waar lesbische vrouwen opdoken vielen de bladeren voortijdig van de bomen en ontploften de zwammen met een knal. Naar alle kanten zag je grijze poeier wegstuiven.

Vrouwen in beestenvellen waren ze, die de hele dag boven hun stand leefden. Ze straalden de hartelijkheid uit van golfplaten en bezaten de elegantie van karton. Er valt voor Tim welbeschouwd geen enkele aantrekkelijke kant te ontdekken aan deze vooroorlogse paardenkoetsen.

De vrouwen door wie hij zich nu omringd ziet dragen ook in werkelijkheid beestenvellen, huiden van runderen en antilopen, en ze worden zwanger door zich eens per jaar geblinddoekt aan seksueel verkeer over te geven, enkele etmalen achtereen in een mannenkamp bij een dood binnenmeer waar treurige cactussen staan en een verdwaalde dadelpalm. Gedurende de copulatie blijft de blik in hun ogen even dof en nietszeggend als het beroete spiegelvlak van het meer. Terug in hun eigen kamp ondergaan ze hun zwangerschap achteloos en ze brengen hun vruchten staande ter wereld. Als het jongetjes zijn worden ze meteen verminkt en naar de mannen teruggestuurd. Als een otter komen de borelingen eruit om hun club geslagen te verlaten.

Dagenlang was Tim onderweg geweest naar hun kamp, met maar weinig oponthoud en nachtrust, op het laatst strompelend, op de grens van uitputting. De vlakte leek op een aaneenschakeling van vlakten, alsof de uitgestrektheden aan zand, met hier en daar dorre pluimen en een verweerde kei, telkens en bloc en simultaan naar een volgende vlakte werden overgedragen.

Het zout beet in zijn ogen en hij meende in de cadans van zijn oorsuizingen plagerige afterlijmpjes uit zijn jeugd te onderscheiden, toen hij nog naar het stoeien en dansen van meisjes keek, maagden met roze wangen en fris als de wei waarop ze sprongen. De doorschijnende gestalten, door zijn herinnering opgeroepen, fladderden als stippen voor zijn ogen en vervolgens had hij ze in zonderlinge dieren zien veranderen, met slurf en krulstaart, zo duizelig had het gebrek aan slaap hem gemaakt.

Hij passeerde vervallen waterpompen en ribbenkasten die in een zandglooiing lagen als in duigen gevallen tonnen. In alle valleien zag hij dezelfde karkassen terug. Klepels en hamers daalden uit de lucht en probeerden hem te raken in zijn nek. Pas toen hij aan de horizon de vaandels en veldtenten van het kamp ontwaarde had hij zichzelf slaap gegund, een diepe, verkwikkende slaap waaruit hij kracht kon putten voor de komende ontmoeting.

Onderweg had hij kraanvogels laag voorbij zien scheren en in het suizen bovendien signalen vernomen waarvan hij meende dat ze weinig goeds voorspelden, verborgen seinen die boekdelen spraken tussen het monotone gesar van de aftelrijmpjes. Het klapwieken en de morsetekens hadden bij het naderen van zijn doel steeds sterker geklonken. De vrouwen in het kamp moesten wel kolossen zijn, ontzagwekkende gevaarten die hun schaduw en lijfsgeur ver vooruitwierpen.

Alleen op de laatste dag, toen hij het kamp bijna had bereikt, was het stil, opvallend stil geworden, een stilte die hem slaap gunde maar ook de dreiging benadrukte. Deze vrouwen moesten niet alleen kolossen zijn, ze waren ongetwijfeld ook alwetend en vooruitziend. Misschien was enkel de verbeelding van Tim op hol geslagen, na zo'n barre tocht zonder water en gezelschap bestonden de allesverterende vrouwen voorlopig alleen nog in zijn hoofd.

De vaandels komen dichterbij, de tenten worden hoger, het kamp groeit. Als Tim tussen de vrouwen met de beestenvellen staat, valt hun grootte hem aanvankelijk tegen. Hun blikken blijven strak op hem gericht, ze omcirkelen hem, hij kan met geen mogelijkheid ontvluchten aan hun kring en van lieverlede groeien ze weer; ze blijken na zijn aanvankelijke teleurstelling toch behoorlijk groot, hij moet naar ze opkijken, ze zijn indrukwekkend genoeg om voor reuzen te kunnen doorgaan.

Ze imponeren met hun hoekige kaken en hun als een helm opgebonden haar. Ze moeten beschikken over een imponeerlengte en een werkelijke lengte, want in werkelijkheid zijn ze maar een kop groter dan Tim; op hun koningin na, die wel twee koppen groter lijkt. Ze heeft het kind op haar arm juist in de handen van een adjudante naast haar geduwd en soldatesk recht ze haar rug.

Misschien komt het door de recente aanraking van het kind, misschien komt het door de zachte madonnatrekken die door haar krijgshaftige masker heenschemeren, maar van alle vrouwen in de kring ziet zij er het moederlijkst uit. Ze fronst haar voorhoofd, ze trekt haar lippen samen tot twee dunne strepen, ze slaat haar armen kruiselings voor haar borst, alles om een zo onvrouwelijk mogelijke indruk te maken.

Even is het of haar blik wil zeggen dat de aanwezigheid van het kind haar pijn doet. De adjudante zet drie stappen achterwaarts, draait zich met een ruk om en verdwijnt. Ze draagt het kind een kleine, taartvormige tent binnen. Even later klinkt gejammer op.

Tim is hier gekomen om iets te halen, om zich meester te maken van een voorwerp, maar hij herinnert zich niet meer welk voorwerp. Het doet er ook niet toe, nu zo duidelijk is als glas dat de dames iets van hem willen. Ze kijken hem verslindend aan, behoorlijk verslindend, en eerlijk gezegd verbaast het hem niet. De meest barbaarse vrouwen blijven uiteindelijk vrouwen. Hoe ze ook hun best doen de mannen te overtroeven, op klompschoenen te lopen, hun borsten in te snoeren, ze blijven afhankelijk van de man.

Ze zijn afhankelijk van me, denkt Tim in het midden van de ring, ze vormen een erehaag. Ik ben precies de man die ze nodig hebben, een idealer man zullen ze nergens kunnen treffen. Ik laat me niet misleiden door hun geharnaste kapsel, hun gespierde gestalte. Er schuilen moeders in deze wezens, vurige ovens in deze ijskoude lichamen, ze branden van begeerte naar me. Ik ben hier geen minuut te laat.

Hij weet ze met zijn blik te manipuleren, daar is Tim van overtuigd. Hij maakt de kring om zich heen naar believen nauwer en wijder. Nu eens vergroot hij de vrouwen, zodat ze over hem heen buigen en hem bijna raken, dan weer verkleint hij ze, zodat het lijkt of ze verder weg staan dan in werkelijkheid, veel verder, waardoor hun begeerte om zich met hem te versmelten alleen maar kan toenemen. Tim voelt zich op zijn gemak als middelpunt van een bewonderende schare.

Hij haalt ze steeds vaker en dichter naar zich toe, waarbij de koningin steevast van gezicht tot gezicht met hem komt te staan. Hij weet zeker dat zij hem van alle vrouwen het begerigst in ogenschouw neemt. Haar huid zit strakker dan die van haar metgezellinnen, haar ogen staan gloeiender, ze is een geboren koningin. Buiten dit kamp zou ze een echte vrouw kunnen zijn, denkt Tim spijtig. Hij weet zeker dat de koningin speciaal op hem uit is. Ze strekt haar arm uit en grijpt zijn leeuwenvel beet. Het vel glijdt met de pijlenkoker op de grond en Tim staat naakt in het midden van de cirkel.

Ze staart hem aan of hij over een atletenfiguur beschikt. Tim is helemaal niet gespierd, hij is een slap mannetje, met middelmatige armen en middelmatige benen, een bleek kereltje dat naar kantoor gaat, met waterknieën en haargroei op de verkeerde plaatsen, maar toch loert de hoofdvrouw naar hem of hij de grootste pijlengooier is, een koorddanser, een tovenaar, een krijger. Als hij zich met vet zou insmeren zou hij niet lijken op een worstelaar, maar op een mannetje dat met vet is ingesmeerd. Toegegeven, hij beschikt over een verende tred en is ook niet vel over been, maar zoveel bewondering en begeerte in een vrouwenblik heeft hij niet verwacht. Vrouwen kunnen vreemde schepsels zijn. Tim voelt zich gevleid en voor hij zijn ogen sluit om te laten gebeuren wat moet gebeuren laat hij zijn blik haast verontschuldigend over zijn lichaam dwalen.

Hij kijkt naar beneden en ziet zijn gekrompen lul, een stompje, een tegen een onzichtbare ruit platgedrukt slurfje waarop zich een kwikkogeltje vuilgele melk naar buiten perst. De beide asymmetrische boleten daaronder staan in geen verhouding tot hun gerimpelde omhulsel, alsof iemand twee perzikenpitten heeft opgeborgen in een broodzak. Verder ontwaart hij vlees, veel wit vlees, veel wit gewillig vlees. Een toevallige passant zou hem sneller aanzien voor iemand die model staat voor het monster van de pantoffelmoord of voor de kandidaat-Dracula van de Stoofsteeg dan voor een rokkenjager of hartenbreker, maar Tim zou zich omgekeerd ook van de toevallige passant niet bewust zijn, want hij houdt zijn ogen nu stijf dicht. De man met de knots is hij, de lotsbestemming van alle vrouwen. Vooralsnog is hij de man met de knots.

♑

TWAALF TAFELTJES STAAN er in de eetzaal van het ijspaleis en aan elf van de twaalf tafeltjes zit een dame. Als de eerste dame glimlacht volgt de tweede en op de tweede volgt de derde, net zolang tot de glimlach de hele rij is langsgegaan. Ze oefenen hun estafette met een lach die geluid maakt en vervolgens met een steeds luidruchtiger lach. Ze houden hun snelle, afgemeten spel vol tot iedereen, aan alle tafeltjes tegelijk, het uitproest van het lachen, de schaterlach van elf stomme klipgeiten.

Het was Tim niet ontgaan dat anderen in boeken wonderen lieten gebeuren waarvan hij alleen kon dromen en dat in een boek de hoofdpersoon vaak avonturen beleefde die hem tot in eeuwigheid der eeuwigheden niet zouden overkomen. In boeken bedreven zeemeerminnen de liefde met slangenmensen, gouden strijdbijlen vielen uit de hemel en uit verkoolde lijken groeiden witgepleisterde mummies, terwijl hij zich in het zweet moest werken om te laten zien wat hij kon en met steeds dezelfde rampen en tegenstanders werd geconfronteerd. Weliswaar in voortdurend andere vermommingen, maar toch dezelfde rampen en tegenstanders.

Hij liep in een kringetje. Het kon niet anders of de werkelijkheid was te klein voor hem. Jaloers bestudeerde hij zijn evenbeelden zoals ze optraden in boeken: die hadden elk een heelal voor zichzelf en in elk van de heelallen kwamen ze andere dingen tegen onder andere namen. De wereld in boeken leek echter dan de schaduwwereld waarin hij leefde en rituelen werden op papier onmiddellijk wapenfeiten.

De schrijver dobbelde met het alfabet, elk boek was een toevalstreffer en toch leek een boek samenhangender en geordender, ondanks de eindeloze mogelijkheden. In boeken waren een regie en een structuur aanwezig die hij in de wereld niet aantrof en daarom waren de helden in boeken onsterfelijk, terwijl die van vlees en bloed in vlammen opgingen of op derniswekkende wijze crepeerden.

Zijn volgende daad zal het schrijven van een boek zijn, er is voor Tim geen ontkomen aan. Hij wil de echte gevaren opzoeken, hij zal en moet degene worden die zichzelf aan de inhoud laat deelnemen, hij eist de volledige zeggenschap op over de ontwikkeling en de afloop van zijn avontuur. Een boek moet het worden dat alle boeken overtreft, een boek waarin zijn bitterheid vele malen bitterder is dan de bitterheid van zijn voorgangers en collega's en zwartgalliger dan hun zwartgalligheid, cynischer dan hun cynisme. Hij zal ze overtroeven en verpletteren door overal een schepje bovenop te doen, door alles uit te vergroten en door elke vergelijking aan te scherpen.

Zijn boek zal erger worden dan het ergste boek, ingrijpender dan het ingrijpendste. Waar een ander nog een sprankje hoop heeft gelaten zal hij ook dat laatste vuurkooltje uittrappen. Waar een ander nog ruimte gunde aan een grijstint of een nuancering zal hij als zwartschilder genadeloos consequent zijn. Waar een ander, hoe bescheiden ook, nog mededogen of vergiffenis invlocht zal hij schoon schip maken met de laatste resten sentimentaliteit.

Na zijn boek zal alles wat daarvoor is geschreven bleek lijken, een slappe prelude op wat komen zal, een vingeroefening in extremen. Hij zal alle pessimisten, advocaten van de duivel en vloekende schoften overtreffen, zijn boek zal als een zwart gat al zijn vonken en golven opzuigen, al zijn woede en moordlust. Hij moet treffen en ontroeren, beseft Tim, meeslepen en hameren, geen mogelijkheid tot ontsnapping openlaten en geen tegenspraak dulden. Waarom zou het hem niet lukken? Hij hoeft daarvoor alleen maar te doen wat sommige boekenschrijvers voor hem deden, alleen consequenter, intenser, ondubbelzinniger.

Overdrijven was in feite heel eenvoudig, hij moest er alleen voor zorgen dit geheim aan niemand te verklappen. Tim wil het bij een of twee grote gedachten houden, hij weet dat hij legendarischer zal worden met één grote gedachte dan met honderd kleinere, dat niet de veelzijdigheid op het publiek indruk maakt maar de monomanie, en dat hij zijn wreedheid niet in facetten moet presenteren, maar als een herhaling van steeds hetzelfde, als iets wat van lieverlede op een programma gaat lijken. Hij hoopt dat zijn lezers zijn woorden zorgvuldig zullen proeven, zijn met pijnlijke toewijding uitgegraven en blootgelegde woorden, anders krijgt hij het verwijt dat hij ze van kaft naar kaft heeft gejaagd.

Hij ziet het boek al duidelijk voor zich. Het moet de som vormen van alle boeken en tegelijk moet het dieper gaan dan het diepste wat ooit in boeken voorkwam, het moet over de bodem schuren, het moet een encyclopedie worden en tegelijk zoutzuur zijn, gal, ongebluste kalk. Hij moet er zijn leven in onderbrengen en op hetzelfde moment moet het lijken of dit volle leven lucht en leegte is, stof en as.

Hij moet heldendaden introduceren die niet tot stand komen en er avonturen in verweven die niet mogelijk lijken. Hij moet geen detail sparen in de reconstructie van de eeuwigheid. Geen onderscheid maken tussen vluchtigheden en het alomvattende. Geen breuk suggereren tussen gisteren en morgen. Geen afstand en tijd handhaven, maar alles tegelijk doen. Hij wil over zijn liefde schrijven die zoveel mensen en zoveel geiligheden omvat dat liefde als een machteloos woord van de bladzij valt om te worden vervangen door vuur, door zondvloed, door armageddon, door de moeder van alle explosies. Hij wil verslag uitbrengen van de vluchtigste aanraking, van ontmoetingen in dark rooms, portieken en cafétoiletten die al waren vergeten bij het dichtgespen van de broekriem. Kan hij het aan? Ja, hij kan het aan.

Hij zal de alwetende verteller worden, staande op een sokkel, de verteller die roerloos waarneemt, aan wie niets ontsnapt, die zonder zelf te bewegen het middelpunt vormt van een wereld die in de weer is met haar grote en kleine zaken. Met oorlog voeren, complotten smeden, uitvinden. Met zweten, vingeren, zakkenrollen.

Hij zal een spannende speurtocht voortoveren en tegelijk verslag uitbrengen van iedere valkuil, grot, wegversperring, waakhond en landverschuiving op zijn weg. Hij zal een ideale entertainer zijn met een ideale dienstverlening. Hij zal over opgekropt liefdesverdriet schrijven en over ondergoed dat in weken niet is verschoond, over het verborgen eiland waar iedereen gelukkig is en over de wiegendood, hij zal terugkeren naar de baarmoeder, een ontstoken woning met druipende wanden en onbewoonbaar verklaard, en vooral zal hij een lange reis ondernemen, een grote lus door het continent, een reis met sublieme momenten en onooglijke strubbelingen, een reis met de zon mee waarbij hij commentaar zal leveren, een bespiegeling zoals het naar verdieping hunkerende publiek die graag leest, met de valse hunkering van een publiek dat zich vaag schuldig voelt over zijn eigen braafheid.

Een al bij voorbaat bewondering afdwingend filosofisch commentaar zal hij leveren bij al de onzinnige kastelen, voor dagjesmensen herbouwde paleizen en overtollig geworden kerken die door een vergeetachtige overheid per ongeluk zijn achtergelaten. Er zal een vorstelijke beschaving oprijzen uit alle baksteenhopen en gepleisterde gedrochten die hij tegenkomt. Hij zal gedachtespelletjes spelen met de lezer door bruggen op te blazen en steden te laten onderlopen, van het hele continent zal hij een ganzenbord maken. Terwijl hij nog hier is vertoeft hij al daar en hij zal aan die epifanie op diverse plaatsen zijn diepste bespiegeling koppelen.

Het zal lijken of de beschaving haar hele rimram aan villa's, kapellen en torens heeft ontworpen, gebruikt en verzuurd om hem stof te bieden voor een laatste aforisme. Hij zal twee keukenmeiden laten vechten in Byzantium en een landloper in een teiltje van plastic over het Lido laten varen. Hij zal in het spookhuis van de beschaving ruiterstandbeelden tentoonstellen en verschrompelde foetussen, koningskronen en vingerhoedjes.

Dat alles kan hij. Hij is tenslotte de man van het definitieve gebaar, de man die knopen doorhakt en werelddelen voegt en scheidt. Hij heeft nu het middel ontdekt om zichzelf te fixeren, zonder dat anderen roet in het eten komen gooien. Hij kan de wijsheid van een duizendjarige veinzen.

Tim begint zich steeds meer een geboren schrijver te voelen. Een boek, het is voor hem een pooltocht, een strafexpeditie, een opdracht om aan het andere eind van de wereld een duizendkoppige menigte gevangen te nemen. Een peulenschil.

Van het ene moment op het andere staat Tim duidelijk voor de geest dat zijn boek de vorm van een litanie moet krijgen, de ultieme en onverbiddelijke litanie met zweepslagen, bezweringen en mitrailleurvuur, de litanie als het dagboek van een schurftige god, een litanie uit de riolen en de kelder, een litanie die de dag voorgoed inlijft bij de nacht. Een litanie die van koningen, via generaals en ambtenaren, afdaalt naar de wormen, die van het hoofd, via buik en geslacht, terecht komt bij het eczeem. In de kelder huizen de godjes en in de pus het wijwater.

Waarom zou Tim op dit moment een glimlach op zijn gezicht onderdrukken? Hij voelt zich een molenaar. Een wiek suist voorbij het molenraam en verzet zoveel lucht dat het een luide klap geeft, waarna nog een wiek en nog een wiek. Bij elke voorbijsuizende wiek flitst het woord oorlog in hem op, en weer een wiek en weer een klap en weer dat woord. Hij loopt naar buiten, de trotse molenaar bij zijn trotse molen, en hij voelt hoe de voorbijscherende wiek hem van de bodem tilt en hoe in hem het woord oorlog ontploft.

Er komen andere wieken aan en andere woorden, bliksemoorlog, zenuwoorlog, de woorden rennen elkaar achterna, oorlogswiek, oorlogsklap, oorlogsdreun, de molen stuurt een verhaal de wereld in, de woorden duikelen van de terp waarop de molen staat, de molenromp wordt een gigantische megafoon, de wieken brullen, zzzz-wham, zzzz-wham, zzzz-wham. Zo zal de litanie van Tim zijn.

Van alle armzalige godjes-in-spe die zich schrijver noemen wil Tim de moordenaar worden. Hij zal zijn voorgangers vermalen zoals hij zijn vijanden heeft vermalen. Hij heeft voor zoveel hete vuren gestaan, het zal hem ook dit keer glansrijk lukken. Zijn verzamelde persoonlijke stappen zullen de encyclopedie vormen die al hun persoonlijkheden incorporeert. Ze zullen uiteindelijk als trofeeën aan zijn voeten liggen, hoe groot hun getal ook is.

Hij vecht in een boek niet tegen één vijand, maar tegen een veelkoppige, veelhandige, veelbuikige vijand. Een vijand met talrijke bovenlijven die hij stuk voor stuk moet ontbloten. Tim ziet wel in dat hij moet beginnen met het blootleggen van zichzelf. Hij dient alles bloot te leggen. Maar wie in een boek alles blootlegt hoeft alleen maar te beweren dat hij alles blootlegt. Nog zo'n wonderlijke eigenschap van het boek, denkt Tim. Hij begint te dobbelen met het alfabet. Hij zet de sirene in de kelder aan. In één enkele nacht schrijft hij zijn boek.

Het begint licht te worden en hij heeft de indruk dat het allemaal moeiteloos tot stand is gekomen, zoals een zwangere merrie die even gaat liggen, meteen weer opstaat en dan een nest veulens ter wereld heeft gebracht. Tim herinnert zich dat hij tijdens het schrijven heeft gehuild. Waar liggen zijn tranen nu? Rusten ze op dit moment ergens onder een steen, liggen ze verscholen in een walnoten commode? Hij weet dat hij van voorgebergte naar dodeneiland, van terp naar zuil is gesprongen. Waar is de landkaart nu, in de slaperige mist die om hem hangt?

Hij is er zeker van dat hij vannacht de wereld bij de keel greep, dat hij iedereen achter zich liet, dat hij bezig was de apologie van alle apologieën te schrijven. Waarheen zijn ontroering en zelfverzekerdheid gevlucht?

Hij heeft iets bijzonders bewerkstelligd en toch voelt hij zich niet bijzonder. Hij voelt zich enkel een beetje licht in zijn hoofd, meer niet, en ook zijn huid tintelt, alsof ze hem hebben volgegoten met gazeuse.

Het gevoel van triomf is er pas na enige tijd. Dan breekt ook de periode aan dat Tim op zoek gaat naar zijn boek, dat hij wil vaststellen dat het overal ligt, dat het van hand tot hand danst, dat misschien alle andere boeken wel aan het verdwijnen zijn, uitdunnend op hun boekhandelplanken als haren op de schedel van een veertigjarige.

Hij loert in een etalage en ziet het niet. Hij hoort er niemand over spreken. Hij loopt een boekhandel binnen en ziet het niet. Hij ziet het in niemands hand dansen. Hij loopt naar de afdeling met de minder coulante werken en ziet het niet. Hij weet zeker dat het werd gedrukt en dat het is verschenen. Hij heeft voor zijn ronde langs boekhandelaren en uitleenbibliotheken zijn leeuwenvel verruild voor een streepjespak om niet onmiddellijk als schrijver op te vallen. Hij had evengoed naakt kunnen verschijnen. Niemand weet waar het boek is gebleven. Boekhandelbedienden kijken hem glazig aan. Bij een boekhandel die Eurystheus heet, een deftige naam voor een deftige zaak, duwen ze Tim zelfs een bezem in handen omdat ze denken dat hij de schoonmaker is die de winkelvloer komt aanvegen. Na maanden heeft zelfs geen provinciale krant ook maar een aankondiging geplaatst. Geen drie regels, geen twee regels, niet één regel.

Eindelijk heeft Tim de raadsels verklaard en nu blijkt de verklaring zoek.

m

DOE ER EEN schepje bovenop, Tim. Iets anders kun je in deze tijd en onder deze omstandigheden niet doen als je wilt opvallen. Onthaast, deflateer, schraap er een laagje af als je voor zacht ei wilt doorgaan, maar sta je inderdaad op je hoofdrol, doe er een schepje bovenop.

Oppervlakkigheid en routine redden me, denkt Tim, ik hoef maar een pink dieper te graven of een seconde uit de regelmaat te treden en de wanhoop slaat toe. Dan houdt hij het leven voor ongeloofwaardig en triest, dan dicht hij zijn naasten gespleten hoeven en puntige oren toe, dan beschouwt hij de ouderdom als een straf voor de jeugd en de jeugd als een gesel voor de ouderdom. Dan is het nog nét niet zo dat hij zijn hersenpan ervaart als een met schedels bedekte koepel waar vleermuizen doorheen vliegen, terwijl zwarte poppetjes dansen tegen zwarte wanden, maar het lijkt er verdomd veel op.

Gelukkig brengt hij negenennegentig plus negen-tiende procent van zijn leven door in oppervlakkigheid en routine. Die één-tiende procent ellende is eerlijk gezegd niet de moeite waard dat hij er zo gruwelijk mee koketteert als hij nu doet.

Tim is in een nadenkende bui. Tim is werkelijk in een nadenkende bui. Er bestaat meer ellende dan de opperste ellende alleen. De hele dag wordt hij besprongen door kleine en halve ellendigheden. Bovendien is er de ellende die zich vermomt als meevaller of troost, als schamele lol of gezelligheid. De hele lorrenboel die zich beweegt tussen de opperste ellende en het opperste geluk is eigenlijk ellendig, vindt Tim. Er sluipt genoeg verbijstering in de routine en de oppervlakkigheid is maar een armzalige staat. Alleen de gewenning masseert zijn ellende weg.

Tim wil wel van de daken schreeuwen dat hij zijn leven lang te laf is geweest om voor de dood te kiezen en voor zijn lafheid schaamt hij zich dood. Het opperste geluk – hij moet het snel weer over iets anders hebben – is nog geringer dan één-tiende. Uit een speldenknop bestaat het, denkt Tim, een kwikdruppel die wegrolt en die ik nooit te zien krijg. Wees me genadig, koketterie.

In zijn oppervlakkigheid heeft hij dikwijls gedacht dat het leven zich in vakken afspeelde. Er zou een vak bestaan voor het geluk, een vak voor het ongeluk en een vak waarin geluk en ongeluk elkaar afwisselden, een schemervak waarin het kon vriezen of dooien. Iedereen verplaatste zich min of meer van vak naar vak, in een dagelijks mechaniek van hinkstapsprongen. Nu weet hij dat zijn innerlijk leven concentrisch in elkaar steekt, dat het kringsgewijs van kleiner naar kleiner gaat en dat hij alleen iets van geluk ervaart in het allerkleinste kringetje middenin.

Tim de Denker is hij nu. Binnen dat kleinste kringetje ben ik mijn eigen zuster, mijmert Tim, mijn eigen vader, mijn eigen kind, mijn eigen vriend, het is een verdomd petieterig binnenringetje, maar ik kan er uitmuntend in leven. Ik ben daar, geloof ik, zó gelukkig dat ik me niet eens afvraag of ik daar gelukkig ben. Toch is hem het onbekommerde verblijf in de binnenring zelden vergund, je kunt dat verblijf niet afdwingen, je valt er middenin. Plompverloren, zoals dat heet. Het overkomt je.

Hij vindt het onbegrijpelijk dat sommigen dat kleinste kringetje niet voor zichzelf kunnen houden, dat ze per se hun intiemste binnenvertrek willen openbaren en met behangetje en al willen prijsgeven aan de spot van hun medemensen. Hij vindt het onbegrijpelijk dat ze met hun vacuümgetrokken kern naar buiten willen treden, dat ze willen biechten en bekennen. Verschrikkelijke mensen zijn dat, er rest na hun biecht alleen nog een geïmplodeerd karkas met vel. Ze zijn hun accu kwijt, hun luchtdruk.

Door zijn geheim te verraden zou hij niet simpelweg een deel van zichzelf afbreken, zoals het geval zou zijn met een bestaan in compartimenten, hij zou zichzelf openscheuren door de uitweg die hij zijn kern had moeten bieden. De geringste bekentenis had het effect gekend van een explosie. De rest was een hoop flarden.

Hoe denken mensen die hun echte ik laten zien en hun intimiteiten op tafel willen gooien, vraagt Tim zich af, hun weg te vervolgen? Ze tonen alleen hun brave ik. Hoe denken ze zich door het leven te slaan als ze eenmaal met hun hart te koop hebben gelopen? Menen ze echt dat ze door biecht en onthulling sterker zijn geworden? Geloven ze oprecht dat drang tot bekentenissen duidt op karaktervastheid?

Ze vergissen zich deerlijk, daarvan is hij overtuigd. Eerlijke, bekennende, openhartige mensen, de belachelijke woorden alleen al, verwateren, ze lopen uit en worden meegezogen door het eerste het beste putje, met een geluid dat lijkt op het slurpen van een tandeloze oude man. Ik hoef niet alles wat ik onbegrijpelijk vind na te laten, denkt Tim op hetzelfde moment. Ik ben tenslotte een duizendkunstenaar.

Tim voelt ineens, in zijn ellendige entourage, een intense behoefte een beeld te schetsen van zijn binnenkamer, inclusief behangetje. Hij wil kwijt hoe zijn speldenknop er uitziet, zijn wegrollende kwikdruppel, dat binnenste cirkeltje in de ring op ring op ring van stof, aankoeksel, leugen en waandenkbeeld. Ik wil de enige plaats schetsen waar ik gelukkig ben, besluit Tim fier. Koketterie, sta hem bij.

Hij zit op de grond in een klein kamertje naast een torenhoge blokkendoos. Helder licht valt uit het raam naar binnen. Er zijn blokken uit de doos gerold. Een rood blok, een blauw, een groen. Er ligt ook een bonte pop op de grond, een harlekijn met gespreide armen. Plukken stro steken uit zijn opengescheurde buik. De pop heeft geen pijn. Hij kijkt met zijn blauwe ogen naar niets speciaals en zuigt op zijn duim. Hij brengt knorrende geluiden voort en ziet er verpletterend gelukzalig uit. Te gelukzalig, naar welke maatstaven dan ook.

Timmetjelief.

Stel dat ik een schrijver was, denkt Tim, die zijn boek dat een einde moest maken aan alle boeken alweer lijkt vergeten. Waarom zou ik geen schrijver kunnen zijn, als duizendkunstenaar? Ik zou de macht van een schrijver hebben. Ik zou de lezer sommeren dit beeld van de pop en het stro meteen te vergeten. Er zijn koningen en dictators die hun onderdanen, zelfs al maken ze deel uit van hun naaste omgeving of familie, de keel afsnijden als ze iets ongeoorloofds hebben gehoord of gezien. Een schrijver is geen koning of dictator, zoveel weet Tim nog wel, een schrijver moet nederig om clementie vragen.

Wees zo goed en tref u zelf met blindheid, zou hij neerpennen. Ontken de blokkendoos. Ga sprakeloos mijn deur voorbij. Wat zou hij verder nog schrijven? Na regen komt zonneschijn. Een dozijn bestaat uit twaalf stuks. Napoleon leefde als een beest. De plantenwereld is rijk aan variëteiten. Het is noodzakelijk, denkt Tim, dat we ons snel en drastisch overladen met de zegeningen van koetjes en kalfjes, dat we het over de veeteelt hebben, over de benzineschaarste of over God, maar niet over wat in ons huist en over de stompzinnige vrede in onze binnenste cirkel, de cirkel die onzichtbaar dient te blijven, onvindbaar, voortvluchtig.

Intussen heeft hij het aan zijn concentrische geaardheid te danken, hij beseft dat ook wel, dat hij over geen enkel talent voor eenzaamheid beschikt. Vaak hoort hij mensen over verveling spreken. Hij begrijpt er niets van. Al zou de wereld rondom hem veranderen in een poel van apocalyptisch duister, al zouden de ruiters van de vergelding en de vrieskou vertwijfeld door zijn achtertuin draven, al zou elk teken van menselijk leven in een tel zijn weggevaagd, hij voelt zich uiteindelijk nooit alleen.

Dagenlang kan hij in een wachtkamer zitten, ze kunnen hem te voet op pad sturen door een land zonder bezienswaardigheden of opsluiten in een vertrek met drieduizend damesromans, hij zal niet protesteren. Hij heeft zijn eigen geheime plekken. Hij heeft altijd iemand om mee te spelen.

Tim herinnert zich zijn tocht naar de geheime tuin met de tempel waarin zich de wijsheid zou bevinden, als het klokhuis in een appelgaard. Hij was erop uitgestuurd om het verborgen klokhuis te vinden, het geheim dat door sommigen de paradijselijke onschuld werd genoemd en door anderen God. De tempel was gebouwd als een huis om een huis om een huis, zo'n beetje als de houten Russische boerin die je moet openschroeven en uit wie dan opnieuw een houten Russische boerin te voorschijn komt, en nog een keer, en nog een keer, maar telkens iets kleiner, zolang de kundigheid reikt van de houtsnijder om uit een speldenknop nog een aanvaardbare Russische boerin te hakken.

In zijn geval bevond zich de tempel binnen een hoge omheining en de tempel zelf vormde weer een raamwerk rond een tabernakel, de tabernakel omhulde een binnenste kamer, de kamer omsloot een schrijn en in de schrijn rustte een doos. Hij slaat vast een paar stadia over. Een slang die om de schrijn kronkelt, mijnenvelden die achter de omheining liggen. Tim had zijn topografische wijsheid opgediept uit een gidsje, dat een plattegrond bevatte van de tempel. Met zijn haastig bijeengeschraapte wijsheid wierp hij een blik op het immense gebouw waar hij niet in mocht omdat daarbinnen iets gevierd scheen te worden. Voor het publiek was de attractie vandaag gesloten. Hij zag monniken in roze gewaden achter de raamopeningen voorbijtrippelen en af en toe verscheen er een dansende rij op een veranda, alsof ze met een polonaise bezig waren en een kortere weg zochten, een ommegang die deel uitmaakte van een ritueel, zo begreep hij uit het gidsje.

Dat hij niet tussen de monniken mocht lopen betekende

niet dat deze jonge monniken belangrijk waren, ze hoorden juist tot het laagste echelon dat alleen in de buitenste ring mocht trippelen. Jaren zou het nog duren voor ze de gunst ten deel viel een fase op te schuiven, richting hart Russische boerin. Naar binnen toe werden de monniken steeds ouder en bedaagder en in de kamer rond de schrijn was de totale roerloosheid ingetreden.

Tot de schrijn zelf hadden nog maar drie oudjes toegang en alleen de hogepriester, of wat voor naam ze hem ook gaven, was bevoegd de doos in het centrum van de schrijn te beroeren, vermoedelijk in een gouden omhulsel binnen een parelmoeren recipiënt binnen een ebbenhouten huls. Niet meer dan één van de talloze gelovigen had weet van de inhoud van het voorwerp van aanbidding, slechts ééntje wist in de kluwen van bedrijvigheid hoe het heiligste van het allerheiligste eruitzag.

Tim was hier niet om gidsen te spellen en voor publiek te spelen, al vond hij de rol van toeschouwer aanvankelijk niet onaangenaam. Hij was er voor het geheim. Hij was er om iets te ontfutselen. Het gaat om niks, dacht hij, ze dansen om een lege doos. Wat bij Tim begon als een schampere gedachte, ingegeven door de ergernis dat ze hem voor een dagjesmens hielden, ontwikkelde zich tot een schrikbeeld. Een oneindig verfijnde structuur, hier neergezet ten koste van miljoenen zweetdruppels, behelsde uiteindelijk niet meer dan lucht, een troostende, therapeutische eredienst werd hier georganiseerd, maar wel rondom een leegte. Het diepste geheim was het absolute niets. Het lag zo voor de hand, dat hij er een paar seconden later al versteld van stond dat hij was geschrokken. Ze kunnen me wijsmaken wat ze willen, dacht Tim, als ik er zelf achter kom geloof ik het pas. Bij de katholieken hadden ze ook allerlei ruimtes waar suppoosten begonnen te brommen als je er een stap probeerde te zetten en al was Tim niet katholiek, toch had hij als kind, met dreigende meneren in zijn kielzog, gevoeld hoe het steeds heter in zijn rug werd naarmate hij dichter bij het altaar kwam.

Dan kreeg je het hoogaltaar en vervolgens was er een altaarkast en daarin lag weer een monstrans verborgen en in die monstrans hield zich ook iets op, wist hij veel, alleen katholieken leken daar alles van te weten. Die deden de hele dag of ze van het geheim op de hoogte waren. Bij speciale gelegenheden ging het allerheiligste open en dan mocht er maar één mannetje bij, speciaal daartoe gewijd en speciaal daartoe uitgedost.

Als de heiden bij uitstek begreep Tim dat gelovigen alleen maar deden of ze van het geheim op de hoogte waren, dat het alleen maar leek of ze er alles van wisten. Ze wisten juist niets. Ze moesten doen of hun neus bloedde en dat noemden ze hun ware geloof. Hoe groter de afstand tussen gelovigen en geheim, hoe intensiever het geloof.

Tim begreep, staande op het gras tussen de bronzen tempelbellen, dat iedere godsdienst iets dergelijks moest kennen, dat zonder een panisch afgeschermd geheim een godsdienst niet eens kon bestaan. Het volstrekte niets was de ziel van de hiërarchie. Zó druk cirkelen om de leegte dat je vanzelf het gevoel krijgt dat het daar niet leeg is maar druk, druk, druk, dat was het ware geloof.

Slimmeriken konden hun leegte presenteren als een gedroogde lotusbloem, als het kakebeen van de heiland, als een kubieke meter heilige geest, geplet onder de hydraulische pers, het deed er niet toe, nooit zou iemand in staat zijn de leegte te identificeren als leegte, op de eerste en enige na – de top van de hiërarchie, het ultieme opperhoofd, de grootste slimmerik – en die zou daar mooi gek zijn om het gebrek aan substantie aan de grote klok te hangen.

Aan zijn omgang met de inhoud van de binnenste doos ontleende hij juist zijn macht, hij deelde het geheim met de onzichtbare god van de overzijde, enkel God en hij wisten ervan. Het niets geheim houden, dat was het godsbewijs. Voor elke opperpriester betekende het vervolgens maar een kleine stap om te suggereren dat hij God zelf was.

De dictator en de koningin en de paus en Juno, allen waren ze goddelijk, als ze maar zo hardnekkig mogelijk hun mond hielden. Nieuwe koningen na de dood van koningen, de erfopvolging, de marteling en de doodstraf, alles was ermee geregeld. Zolang heersers onaanraakbaar bleven op de magnetische golven van het sacrosancte heerste er geloof, zolang ze de magische inhoud van hun toverdoos maar oncontroleerbaar hielden zou elk verwijt van bedrog afketsen. Hun magie mocht bedrog zijn, het bleef magie. Magie vraagt niet om bewijzen.

Tim had het feestje in de tempel moeten bederven, hij moest wel spelbreker worden om tot het klokhuis door te dringen, om de appel van de wijsheid te stelen. Door het hem bijtijds ten deel gevallen inzicht begreep hij dat hij zich de moeite kon besparen. Hij kon een willekeurig klokhuis benoemen tot het enige ware klokhuis en hij was net als de dictator en de koningin en de paus en Juno zelf ook een beetje God, wat hij overigens niet meer dan rechtvaardig vond. Hij kon het klokhuis ombenoemen tot lotusbloem, kakebeen, heilige geest, het deed er niet toe, hij had het zich toegeëigend op het moment dat hij de afwezigheid ervan besefte.

Wat was godsdienst iets geweldigs! Tim zuchtte van bewondering. Verontwaardigd roepen dat geloof op niets berust is zinloos. Dat 'niets' is juist het mooie. Godsdienst is er voor het kanaliseren van schuldgevoelens die eerst door de godsdienst zelf zijn aangepraat. Ook waar! Alles aan de godsdienst was geweldig! Het principe van de Russische boerin was een list van jewelste. Een geheim dat niet bestond hield heus niet op een geheim te zijn.

Bij het schrijven, bij het aanvaarden van heldendaden, bij het bezweren van menigten ging het toch ook alleen om de suggestie van het geheim? Of er ergens een reëel geheim bestond donderde niet, laat staan dat je naar de aard van het geheim zou moeten raden. Allemaal verspilde moeite en tijdverdrijf voor de dommen, het was voldoende te geloven in de geheimzinnigheid zelf, het was voldoende te geloven dat de kunstenaar een ingewijde was.

De kunstenaar op zijn beurt hoefde weinig meer te doen dan dat geloof aannemelijk maken. Alpino, sandalen. Baard, walm van spiritualiën. Veelwijverij, wartaal. Met een duizendkunstenaar als Tim, die de taak had de wereld aan te voeren door oneffenheden te verwijderen, idem dito, maar met halo als alpino.

Als ik ooit nog eens uit de as van mijn nietswaardigheid verrijs, denkt Tim in een bui van bescheidenheid die harten moet winnen, en als ik voor mijn ogen een leven zie ontvouwd van vuur en monumentale aanwezigheid, dan zal ik op straat gaan zwaaien met een piepklein doosje, roepende dat er iets prachtigs in zit zonder aan welke sterveling ook te verklappen wat. Gebakken lucht! Zeven zegelen op mijn mond. Miljoenen volgelingen.

Een gerinkel achter zijn rug liet Tim, zittend op het perk voor de houten reuzentempel, ontwaken uit zijn mijmeringen over de constanten van kunst, heilsverwachting, offerrituelen en geloof. Het geldbakje.

Ik heb hier het heilige klokhuis, zegt Tim. Hij wijst op een bobbel in zijn kleren. Geef hier, zegt de monnik. Tim doet of hij hem het klokhuis wil geven. Hou even mijn geldbakje vast, zegt de monnik. Graag, zegt Tim. Hij pakt het geldbakje en rent er vandoor.

♎︎

KUN JE NA dit alles niet zelf eens verzinnen, Tim, dat je een stumperige held bent en al helemaal geen kandidaat-god? Het heldendom moet het hoogst haalbare betekenen voor iemand als jij, de held als wereldse weerspiegeling van het godendom, en je slaat een modderfiguur. Je verbeeldt je dat je krachten als liefde en ontzag ontketent en je ontketent stof en hol gedruis. Waarom blijf je nog rennen, Tim?

Omdat ik moet rennen, sputtert Tim tegen, het zit in mijn bloed, mijn vel gaat ervan glanzen en, daarbij, de hevigste kracht heb ik nog steeds niet ontketend.

Bedoel je dat je me nu wilt laten zien waartoe je in staat bent, Tim?

Dat bedoel ik en hoed je. Kruip weg onder een kei of verberg je achter een pilaar. Knijp je ogen toe en stop je oren dicht. Sla proviand voor jaren in. Ik verplaats de krachten van de onderwereld naar de bovenwereld. Ik zal alles wat zwart en beroerd en stompzinnig is in de bovenwereld voorgoed ontketenen. De bovenwereld zal ik de volle laag geven van de onderwereld waar ze zo naar verlangt. De poorten van de hel zet ik open. Ik zal triomferen. Jullie zullen voortaan alleen nog mijn lof zingen en in het stof kruipen omdat jullie me hebben onderschat.

Tim heeft een uur onder de douche gestaan, hij geurt naar babyvlees en talkpoeder, hij is roze als een balletdanseres, helemaal voorbereid om bij geen enkele controlepost of poortwachter op te vallen. Alle waakhonden en röntgenscanners zullen hem met rust laten. Hij heeft zijn knots weggegooid en nog een extra tak rozemarijn achter zijn oor gestoken. Hij kan zó de Elyzeese velden opwandelen en zich zó de hel binnenwurmen zonder dat er een alarm afgaat. Hij heeft al weken geoefend in doodliggen, zijn enige wapen straks is de schijndood. In het zich slap laten neervallen of met wijdopen kaak achterover rusten is hij hoogst bedreven geraakt. Onder de doden komt het er op aan gepast dood te kunnen zijn.

Ben je niet bang, Tim, dat ze je in de onderwereld graag willen houden? Dat ze je niet terug laten gaan en dat er van je mooie plannetje niets terecht komt?

Ben je gek, zegt Tim, je ziet toch dat ik een extra tak rozemarijn achter mijn oor heb geschoven.

Voor het eerst dus, Tim. Je hebt nog nooit zo lekker geroken op weg naar een avontuur.

Misschien ben ik iets bevreesder dan anders, geeft Tim toe. Ik had tot dusver te maken met mensen, beesten en lesbiennes. De hel is toch iets anders. Ik heb me op alles voorbereid. Ik ben niet gek, vervolgt Tim na enig nadenken. Je zult lang kunnen wachten tot ik gek word. Ik haal adem en zie wat ik hoor te zien. Ik vul geen rivieren met lijkenmassa's, bekleed geen tempeldaken met de schedels van mijn slachtoffers. Ben ik niet dezelfde mensenvriend gebleven? Ik ben net als jij een kind van lucht en aarde en onderdanig aan de pijlen die de zon schiet. Mijn ademhaling is warm, nog niet hortend, nee standvastig vanuit de longen. Zie ik er uit als iemand die lijken als buurtgenoten wenst, die zijn knots en pijlen, de voormalige schildknapen van zijn arm, heeft weggeworpen om als vijand van de mens en met blote handen dood en verderf te zaaien?

Ik daal af naar de Hades als genezer, als redder, als iemand die de mensen liefheeft en wil vervolmaken, ik zaai verderf en dood uit vriendschap, omdat de mens pas volmaakt zal zijn als hij samenvalt met alles wat zwart en beroerd en stompzinnig is. Alles wat zwart en beroerd en stompzinnig is zal ik naar boven halen en op de mensen loslaten, ik zal hun spoken en nachtmerries bevrijden als winden uit een windzak, en wie weet schrikken ze wel als ze merken wat ik voor ze in petto heb. Wie weet deinzen ze terug en besluiten ze rechtsomkeert te maken en het ravijn de rug toe te keren. Dan heb ik mijn plicht gedaan. Een andere manier is er niet.

Ik moet ze confronteren met hun eigen stank en afval, hun eigen niet aflatende leugens en hun dubieuze eigendunk. Ik moet ze erin onderdompelen en het is wellicht beter dat ze meteen verdrinken. De volledige hel, de volstrekte en volledige hel is mijn laatste remedie.

Er lijkt geen ontkomen aan, Tim is heilig van plan zijn naam definitief te vestigen. Niemand die hem nog uit het hoofd kan praten dat hij voor de grootste ommekeer aller tijden gaat zorgen. Hij glimt als een toneelspeler die onder applaus wordt bedolven. Alle bestaande en niet bestaande camera's zijn op hem gericht. Hij voelt zijn lid zwellen en begrijpt dat het goed is. Hij haalt diep adem. Opgetogen over zichzelf begint hij te dromen. Hij zit op een witgelakte stoel, gemaakt van strakke latten. Hij sluit zijn ogen en ziet uit het duister een schim opdoemen die van dichtbij een staf en een monnikenkap blijkt te dragen en zich voorstelt als de gids die hem naar de onderwereld zal begeleiden. De gids is hem op een vaderlijke manier terwille, hij wijst Tim de opening van de donkere grot, hij gaat hem voor op kronkelpaden, pakt de roeispanen als er gevaren moet worden en kent op elke driesprong de weg. Er voegen zich andere helpers bij het tweetal, die zich allen even vaderlijk gedragen en hem voortduwen met vriendelijke porren in de rug. Soms drukken ze met hun wijsvinger lichtjes tegen de punt van hun neus, alsof ze hem willen zeggen hoe lekker hij ruikt.

Dan merkt Tim dat hij alleen is. De anderen zijn op de vlucht geslagen zonder dat hij er erg in had. Hij ziet de bebloede ogen van de hond, blikkerend met duizend zwaarden, en de grijnzende muil met de hondentanden, nee haaientanden. Geslepen pilaren, smetteloos en strak in het gelid. Toegegeven, Tim is onder de indruk. Met zo'n waakhond bedenkt elke helbewoner zich wel. Boze krachten komen daar lastig langs. Wij blijven hier!

Tim aarzelt geen moment en stuift op de hond af. 'Daar ga je, Timotheus!' denkt hij en op hetzelfde moment al heeft hij de hond buiten westen geslagen. Met alle kracht die in hem is, en dat is een gigantische, bovenmenselijke kracht, de kracht die iedereen van hem kent, verbreekt Tim de ketting. Hij sleept de hond achter zich aan, de buitenwereld tegemoet, terug langs driesprongen, over de brede rivier waar de verlaten boot nog aan de wallenkant dobbert, langs de kronkelpaden en door de opening van de grot. In de boot heeft de hond traag één oog geopend en puft er stoom uit zijn muil, maar enkele tikken met de roeispaan herstellen de rust. Leer Tim hoe hij moet ingrijpen! Met een versufte hond over zijn schouders is hij terug op de bovenwereld.

Ogenblikkelijk begint het in de grot te woeden en te waaien, een stortvloed van smerigheden perst zich naar buiten, alle vuile gedachten, verderfelijke voornemens en kwalijke eigenschappen persen zich naar buiten, de schurken en gedoemden tollen over elkaar heen, de virussen en ziektekiemen zijn al op het moment dat ze zich manifesteren over de aardbol verspreid. Iedere hang naar ijdele roem wordt duizendvoudig versterkt, iedere drift om zich vol te stoppen, elke zucht naar bevrediging, alle agressie en elk slecht humeur, tot er niets overblijft van waarde, tot de laatste resten van uitstel, voorpret en enthousiasme zijn verdwenen.

Het is bijna een biologische oorlogvoering, de krachten die nog enige hoop in zich bergen worden aangevallen door de krachten die alle hoop hebben laten varen en de krachten die nog vertrouwenwekkend lijken maken geen enkele kans. Het is een vervangingsoorlog. Tim wrijft zich in zijn handen.

Daar verschijnt een treurig Juno-hoofd aan de horizon, een gipsen hoofd met gipsen lippen, en het hoofd komt naar Tim toegezweefd, het opent de treurige lippen en vermaant Tim, met een stem als uit een synthesizer, zowel hol als van staal, dat hij de hond eerst nog moet terugbrengen. Het staat voorgeschreven dat hij de hond moet terugbrengen. De geschiedenis is niet voltooid als hij de hond niet heeft teruggebracht. De metamorfose van de wereld is pas compleet als de poort van de hel weer dichtgaat en het ondier aan zijn ketting ligt. Alles begint steeds opnieuw bij het verdomde mensdom, ze groeien op in de drek en halen zich vervolgens van alles in het hoofd, papieren bloemen, echte bloemen, verzinsels en uitvluchten om de drek te ontkennen, waarna de balans weer doorslaat. Nee, gebiedt het grote hoofd met de nasale stem, er bestaat nu een evenwicht en om dat evenwicht te consolideren moet de bewaker van de hel naar zijn vaste plaats terug. Tim heeft het kwaad willen ontketenen en hij wil toch dat het voorgoed zegeviert?

Tim gehoorzaamt schielijk, hij weet niet hoe snel hij moet gehoorzamen, al was het alleen om aan het kabaal van kreten, brekende botten en schroeiend vlees te ontsnappen, nog één keer doorloopt hij met de hond over zijn schouders de route van de nu vredige, lauwwarme hel, waarna hij het op zijn oude plek aan de ketting vastmaakt.

Voor hij op zijn witgelakte stoel recht overeind schiet, met het zweet op zijn voorhoofd, ziet Tim nog even een haarscherp beeld van een meikever op een zilveren vingerhoed. Maar dat is een misverstand. Wie zelf had kunnen gaan kijken, daar in het duister van de grot, aan de overkant van de doodsrivier, had een schraal hondje gezien, met een versleten riem aan een paaltje gebonden. Het paaltje is aangevreten door het water.

Het schurftige poedeltje springt met zijn stramme poten onhandig op en neer als hij meent dat er iemand aankomt. Op zijn rug vertoont hij een kale plek ter grootte van een etensbord. Hij hoeft nog maar een keer te blaffen of de riem schiet vanzelf los.

ω

ALLES HEB IK overwonnen, peinst Tim, elk monster dat ik tegenkwam heb ik bedwongen, iedere onverlaat die me ook maar een strobreed in de weg wilde leggen heb ik aan mijn voeten gelegd. Goden weten niet wat ze willen, ik wel.

Heb je niet alles verloren, Tim? vraag ik. Ben je niet zelf een monster geworden? Je moet jezelf nog verwonden en vernietigen om de cirkel rond te maken. Je zelfvernietiging ontbreekt er nog aan, als je werkelijk succes wilt hebben. Zal ik je een handje helpen? Knaagt je verachtelijke ik niet aan je? Je hebt je verachtelijke ik alleen maar gestreeld. Door dat ik zogenaamd te willen bevechten verrichtte je alleen taken die het sterker maakten.

Een profeet is Tim geweest, een profeet die streelt, horende doof voor de storm. De mens, beweerde een andere profeet, is een schip vol illusies dat naar een geschilderde horizon vaart en Tim moest dat onmogelijke schepsel zo nodig redden. De storm is gaan liggen. Ik laat hem los, dacht ik keer op keer. Als ik een hekel aan hem krijg laat ik hem los. Ik kreeg de kans vaak een hekel aan hem te krijgen. Het loslaten lukte niet erg. Op een of andere manier bleef hij aan me bungelen.

In een stil, provinciaal museum wijst een suppoost naar ons, naar u en mij. Kom mee, zegt de suppoost. Hij gaat ons voor naar de zaal met de gipsen afgietsels, afgedankte modellen, levensgroot, ooit bedoeld voor academiestudenten. Kopieën naar beelden uit de klassieke oudheid, beelden uit de villa Borghese, uit Athene, Egypte. Manshoge borstbeelden, ruiters op halve paarden, jagers met het zonnerad op hun rug. Eén beeld is opzijgevallen en in duizend stukken uiteengespat. Drie forse personen zouden kunnen plaatsnemen op de neus. Eigenaardig, zegt de suppoost. Geen bezoeker heeft ooit belangstelling getoond voor het beeld.

De list is om het verval rijping te noemen, de zwerver held, de ruïne schoonheid, de eeuwige achteruitgang vooruitgang en alles wat mislukt geschiedenis. Het gaat erom onze mislukkingen te presenteren als overwinningen. Het gaat erom onszelf voor te spiegelen dat we de kuilen en gaten waarover we struikelen bewonderen omdat ze ons in staat stellen weer een eind verder te strompelen. Hopla, nog een duw. Hoe sukkels zich redden uit benarde situaties, situaties die de sukkels zelf hebben veroorzaakt en nog eens extra verpest, daarover gaat ieder verhaal. Steeds neerwaarts beklimmen de sukkels de berg. Maar ze beklimmen bergen. De mens is goddelijk.